O horizonte mora em um dia cinza

TATIELLE KATLURYN

O horizonte mora em um dia cinza

잿빛 날에 수평선을 만나다

Copyright © 2024 por Tatielle Katluryn

Todos os direitos reservados e protegidos pela Lei 9.610, de 19/02/1998.

É expressamente proibida a reprodução total ou parcial deste livro, por quaisquer meios (eletrônicos, mecânicos, fotográficos, gravação e outros), sem prévia autorização, por escrito, da editora.

Ilustração interna: Freepik.com

Edição
Daniel Faria

Revisão
Ana Luiza Ferreira

Produção e diagramação
Felipe Marques

Colaboração
Raquel Xavier

Ilustração
Davi Augusto

Capa
Jonatas Belan

CIP-Brasil. Catalogação na publicação
Sindicato Nacional dos Editores de Livros, RJ

K31h

    Katluryn, Tatielle
      O horizonte mora em um dia cinza / Tatielle Katluryn. -
1. ed. - São Paulo : Mundo Cristão, 2024.
      224 p.

    ISBN 978-65-5988-299-1

    1. Ficção cristã. 2. Ficção brasileira. I. Título.

24-88109   CDD: 869.3
                       CDU: 82-97(81):27

Meri Gleice Rodrigues de Souza - Bibliotecária - CRB-7/6439

Publicado no Brasil com todos os direitos reservados por:

Editora Mundo Cristão
Rua Antônio Carlos Tacconi, 69
São Paulo, SP, Brasil
CEP 04810-020
Telefone: (11) 2127-4147
www.mundocristao.com.br

Categoria: Literatura
1ª edição: abril de 2024 | 2ª reimpressão: 2025

"Esse é o problema da dor,
ela precisa ser sentida."

John Green, *A culpa é das estrelas*

Para aqueles que, como eu, viram os meses e anos passarem, mas ainda sentem que algumas cicatrizes doem como se as feridas ainda estivessem abertas.

Há uma boa notícia para os corações que demoram mais tempo para elaborar, ressignificar e, enfim, superar sem esquecer: um dia não vai mais doer. Você não sentirá esse peso, nem essa culpa, nem essa vergonha.

Você está indo bem! Apenas não desista! Permita-se ser cuidado e confie no Deus que está neste barco com você. A tempestade que há dentro de nós nunca o afasta. Ele continua presente.

Nota da autora

Você acredita que tudo coopera para o bem daqueles que amam a Deus e estão alinhados a seu propósito? Eu confio totalmente nessa Palavra e pude viver o cumprimento de Romanos 8.28 por meio da história que você lerá a seguir. *O horizonte mora em um dia cinza* nasceu de uma série de situações difíceis que enfrentei ao longo de anos. Trata-se, portanto, de uma narrativa com base em vivências reais, experiências que pude compreender melhor através da escrita terapêutica.

Foi um alívio escrever sobre a perda de meu pai, os sentimentos de cobrança durante a universidade, além de minhas tentativas de agradar os outros para que pudessem amar alguém tão quebrada como eu. São experiências usadas para tecer a história de Ayla Vasconcellos e Joon Hyuk.

Esses dois personagens compartilham do mesmo amor pela culinária coreana e acreditam que podemos construir memórias felizes em volta de uma mesa ao saborear não apenas comida, mas também afeição e carinho. Aqui você vai rir até a barriga doer e, em outros momentos, chorar até entupir o nariz. Por isso aconselho que prepare o lenço, pois acredito que o Espírito Santo usará as palavras para tocar o mais profundo de seu ser a fim de lhe dizer que compreende cada uma de suas dores.

A verdade é que não estamos sozinhos em nosso sofrimento, ainda que por vezes nos envergonhemos de nossos sentimentos de vulnerabilidade. Jesus nos lembra que o Pai procura adoradores verdadeiros, porque serão estes que o adorarão em espírito e em verdade (João 4.23-24). Ou seja, o pedido de Deus para você e para mim é que vivamos em sua presença sem máscaras, abrindo mão do medo de que ele veja o que há de menos bonito dentro de nós. Pois, onde o Espírito Santo habita, ali há liberdade (2Coríntios 3.17).

Então, escolha viver o resto de seus dias com a convicção de que Deus não pediu que você fingisse que fosse perfeito. Tudo que o Senhor requer é que entendamos que ele nos chamou para sermos aperfeiçoados em amor (1João 4.17). Portanto, seja honesto com o Espírito Santo e diga como realmente se sente, porque ele quer ouvir sua oração sincera, mesmo que ela seja feita de lágrimas.

Agora, um recadinho do coração: esta história contém cenas em que os personagens vivenciam luto, ansiedade e bullying, o que pode ser um gatilho para algumas pessoas. Apesar de ter sido escrita com responsabilidade, respaldo psicológico e sem detalhes que causem desconforto, caso não se sinta bem lendo, indico que interrompa a leitura e busque apoio familiar, de amigos e da igreja.

Lembre-se: Deus está sempre disposto a escutar você! E, claro, procure ajuda de um profissional da psicologia, pois a sua saúde mental é o que mais importa!

O horizonte mora em um dia cinza

재빛 날에 수평선을 만나다

Prólogo
11 de abril

Retirou o avental jeans do cabide próximo à pia e, segurando as alças, passou-o pela cabeça. Em seguida, amarrou-o na cintura com um laço firme. Bateu com as palmas das mãos sobre o tecido azul-claro, e uma fina camada de trigo voou pela cozinha escura, iluminada tão somente por uma parca luz amarelada.

Num dos cantos que a luz não alcançava, ela se debruçou sobre a mesa de madeira e escondeu o rosto nos antebraços magros. Seu corpo tremia pela violência dos soluços que escapavam de seu peito. Não queria acreditar que isso estava realmente acontecendo. Maior que sua incredulidade, porém, era a força de seu pranto. Era incontrolável.

Havia passado o dia inteiro simulando força e achou que poderia suportar aquela enxurrada por mais alguns instantes, mas era impossível contê-la naquela madrugada. Não havia barragens firmes o suficiente para aguentar o temporal que caía de seus olhos castanhos. A chuva torrencial que lavava o mundo lá fora tampouco ajudava a enfrentar o sentimento de nostalgia misturado com a vontade de ir embora daquela fazenda em Daegu.

— Uma vez ouvi minha avó dizer que uma refeição pode mudar o destino de alguém — disse uma voz calma. — Eu tinha uns doze anos na época e achei um tremendo exagero, mas com o tempo entendi que ela estava certa.

Em frente à bancada desgastada, ele vasculhou com olhos ágeis o armário, pensando qual compartimento abriria para achar os ingredientes de que precisava.

— E o que... — a garota no escuro ergueu lentamente a cabeça e um soluço alto cortou sua voz rouca — ... ela quis dizer com isso?

Mais um tremor sacudiu seu peito, conforme o encarava enquanto ele abria a porta do armário acima da pia. Ouviu o rangido do móvel de dobradiças enferrujadas.

— Que *destino* significa a direção que devemos seguir, mesmo que essa direção resulte em alguma dose de sofrimento. Que, embora o céu pareça cinzento, se tivermos um pouco de pão e água, seremos capazes de atravessar longos desertos e enxergar, pela fé, o horizonte que nos aguarda lá na frente. Para minha avó, desistir não era bem uma opção. Mas parar para descansar e comer um pouco, sim, sempre foi a melhor alternativa. Deu para entender?

Um sorrisinho frouxo desabrochou em seu semblante ao falar tudo isso de costas para sua visitante. Então, pegou um pacote de macarrão de batata-doce e, tendo rasgado a embalagem, despejou seu conteúdo numa panela de água fervente. Em seguida, agarrou a faca da bancada e começou a cortar as cenouras. O prato que estava cozinhando havia feito parte de toda a sua infância e consistia basicamente em massa, legumes e carne bovina.

— Não sei fazer muitas coisas, e uma das coisas que não sei é consolar alguém. Talvez porque nunca tenha sido consolado por outras pessoas... — De repente o riso sumiu e a voz ficou mais grave. — Mas espero de verdade que esse japchae possa dizer a você que, mesmo que a gente não se conheça há tanto tempo assim, você já tem uma cadeira reservada na mesa de jantar da minha família. Quero sempre estar aqui para você, como você se arriscou a estar aqui por mim.

1
A arte de tropeçar como só ela sabe fazer

Um tropeção. Pés desengonçados ao atravessar a porta. Uma dança sem ritmo que levou a garota a beijar o piso gelado do Hospital São Lucas.

— *Ayla!* — exclamou sua amiga Saori Kim, que andava logo atrás dela.

A menina no chão nada respondeu. Nenhum som foi emitido. As bochechas estavam avermelhadas, o cabelo castanho voando para a frente e, com ele, seu par de óculos de lentes finas. Embora seu grau fosse elevado, em razão de sua alta miopia — o que acabou contribuindo para um descolamento de retina ainda na infância —, as lentes finas indicavam uma verdade a respeito daquele objeto: havia custado uma fortuna. Um tesouro, para dizer o mínimo, que exigiu de sua mãe um parcelamento em dezoito vezes no cartão de crédito. Caso fosse assaltada — que Deus a livre! — seria melhor que levassem a mochila, o celular, os documentos e seu par de tênis da Vans. Tudo, menos aquele precioso par de óculos.

— Senhorita Vasconcellos! — disse com firmeza o segurança parado bem ao lado da porta automática de vidro. — Você está bem? — E correu para junto dela.

Em uma fração de segundos, os olhos castanhos de Ayla, escondidos atrás da cabeleira de fios lisos, levemente ondulados nas pontas, vislumbraram os borrões assimétricos à distância.

Provavelmente pessoas, pelas risadas e comentários que vinham daquela direção. Uma multidão aguardava o horário de visitas. Cada olhar se voltou para ela: a menina de moletom cinza, calça jeans escura com rasgos nos joelhos e tênis preto com uma rosa vermelha estampada.

Mas o detalhe mais marcante de seu *look* era a água derramada sobre ele: havia tomado um belo banho de chuva quando saiu do carro em disparada. Para não mencionar o fato incontestável de que ela não parecia brasileira. Suas feições eram tão orientais quanto as da moça que a acompanhava.

— Será que se eu fingir que desmaiei a vergonha será menor? — murmurou para si mesma.

Então, sentiu as mãos do segurança tocando seus ombros, num esforço para erguê-la. Ela estranhou o toque do homem, ainda que ele estivesse tentando ajudá-la. Sacudiu-se para afastá-lo e se pôs a engatinhar, apalpando o chão.

— Ayla, o que você está fazendo? — sussurrou Saori, sem entender o que a garota fazia ao rastejar no piso.

— Está procurando seus óculos, senhorita? — perguntou o segurança, que saiu em busca do objeto voador.

— *Óculos?* — A palavra disparou um alerta na mente de Saori, que não tinha visto o objeto ser arremessado pelos ares.

— Não, senhor, estou procurando só a minha dignidade mesmo! E o meu equilíbrio, se eu tiver sorte hoje! — Ayla respondeu rispidamente.

Ele riu, pois conhecia o senso de humor dos parentes da menina. Eles haviam crescido na mesma cidade do interior. Ainda rindo, ele encontrou os óculos perdidos a menos de dois metros da moça.

Aliás, mais um fato relacionado a Ayla: se um objeto estivesse a uma curta distância dela, ele simplesmente sumia de seu campo de visão. A situação piorava quando não havia contraste acentuado de cores, como era o caso dos óculos e do piso branco, iluminado pela forte luz das lâmpadas embutidas. Por isso, ela gostava de implicar com a mãe e dizer que seria incapaz de enxergar seu *príncipe encantado* se ele estivesse a menos de quarenta passos dela. Em outras palavras, ela sofria de algo que foi diagnosticado como "visão subnormal".

— Aqui está! — abaixou-se para pegá-lo.

Saori acordou de seu torpor e correu para junto do homem. Pegou o objeto das mãos dele, temerosa à procura de algum sinal de quebra. Sabia quanto a amiga era apegada àquelas lentes. Aproximou-o dos olhos miúdos e se pôs a orar baixinho:

— Deus meu, ajeita as pernas desses óculos... — Às vezes Saori brincava, dizendo que, se Ayla tivesse de escolher entre ela e os óculos, com certeza seria deixada de lado.

Ayla notou a aproximação de um vulto e, pela voz e cheiro adocicado, soube que era Saori. Tirou as mechas da testa e esticou o braço para receber o que lhe pertencia. Ao colocar os óculos no rosto, suspirou pesadamente. Havia um pequeno arranhão na lente direita e manchas provocadas pelos pingos da chuva, e parecia também que as pernas dos óculos estavam ligeiramente tortas.

— Pelo menos não quebrou desta vez... — disse consigo, enquanto a amiga e o segurança permaneciam parados, observando-a.

— Então dê graças a Deus por esse livramento, Ayla! Senão eu teria de vender o meu carro para ajudar você a comprar um par de óculos novo! — Estendeu a mão para ela.

Ayla deixou que Saori a puxasse para cima e se levantou. Encarou a área da recepção e uma das atendentes, constrangida pela cena, apenas assentiu com a cabeça afirmativamente antes de dizer:

— O paciente do quarto trinta e nove está aguardando a senhorita. — E apontou o elevador.

Ayla andou na direção contrária à indicada pela atendente e seguiu para as escadas, sentindo o olhar de todos queimando suas costas. Saori não disse nada. Apenas seguiu a amiga. Afinal, o que dizer a alguém que levava tudo para o lado pessoal? E que sempre, *sempre mesmo*, se considerava um desastre ambulante?

Ao chegar ao terceiro andar, Ayla tomou fôlego e empurrou a porta de emergência. Deparou então com um homem parado no corredor. Ele mantinha os olhos fechados e parecia sentir o frescor da chuva que caía sobre a cidade de São Luís. Guardou na memória a cena daquele homem próximo ao parapeito de ferro, o rosto em paz, a roupa hospitalar balançando pelo vento, uma haste a seu lado mantendo a medicação intravenosa pelo soro suspenso.

— Saori, você pode me esperar aqui? — ela pediu ao virar-se e encará-la, sem esconder a tristeza no semblante.

Aquela situação sempre deixava Saori abalada. Mesmo que se conhecessem havia poucos anos, sentia como se fossem irmãs desde a primeira vez em que Ayla fez aquela *oração-da-ovelhinha-solitária* capaz de mudar destinos. Havia até quem perguntasse se eram parentes quando as viam juntas, pois além da semelhança física parecia haver um laço invisível unindo-as, uma ligação que se fortaleceu por ambas terem sofrido perdas que, de tão dolorosas, nem poderiam ser nomeadas.

— Claro! Mas antes posso ir cumprimentá-lo? Vai ser rápido! — Fez um beicinho e arregalou os olhos.

Ayla apenas assentiu com um sorriso sem graça. Saori logo foi até junto dele.

— Como você está, senhor Abner? — ela perguntou.

— Ah, você sabe... — respondeu ele, um sorriso fraco mas terno brotando em seu rosto pálido e amarelado. — Agradecendo a Deus pela chance de viver mais este dia.

Saori afagou timidamente o ombro dele e se despediu, tomando as escadas e entendendo que era melhor esperar a amiga lá embaixo. Quando Ayla sentiu que não havia mais ninguém ao redor, sua única reação foi correr e abraçá-lo. Ele soube de imediato o que se passava na cabeça dela. Bastou insistir que algo ruim havia acontecido e logo ela falou do dia anterior. Abner guardou na memória outra cena: a de sua própria dor, para, assim, acolher a dela.

Resolveu falar com todo o amor e paciência que pôde reunir, pois havia escutado aquele mesmo desabafo milhares de vezes:

— A culpa não é sua, filha — disse ele, levantando os dedos com certa dificuldade, por conterem agulhas e fios enfiados em sua pele frágil, a fim de passar as mãos naquele rosto que chorava em silêncio. — E eu já disse que você não vai passar necessidade se deixar esse seu emprego. Sua mãe e eu vamos ajudar você!

— E-eu sei, pai, mas é que... — suspirou pesadamente, antes de um soluço sacudir seu peito. — Ainda falta juntar tanto dinheiro para a viagem... E a empresa paga bem. Além de que foram até *caridosos* por contratarem uma menina que acabou de sair da escola, e nem faz um ano que estou lá! Acho que eu não ganharia nem o seguro-desemprego se pedisse demissão.

— Sei disso, passarinho, mas imagine só: trabalhar e não cometer nenhum erro? Onde já se viu uma coisa dessas? As pessoas não são máquinas! E, mesmo que estudem e pratiquem tanto para chegar à perfeição, elas continuam propensas a falhar em alguma ou outra coisa. Então, por favor, não se culpe. Você não fazia ideia de que ia ser assim.

— Como posso não me culpar, pai? Eu só vivo caindo nesta vida! Nem falo só dos meus erros no trabalho... Sabia que sofri uma queda na entrada do hospital e meus óculos agora estão tortos? E se quebrasse? — Voltou a sacudir os ombros, como fazia desde criança.

— Filha, não existe nada mais elegante que uma mulher saber cair como só você sabe! Isso deveria ser considerado um dom. Já pensou em se candidatar para algum concurso de talentos? Acho que tiraria o primeiro lugar.

— Lá vem você de novo! Acha que vivo caindo porque quero? — murmurou entre soluços. — Ou que receber puxões de orelha do meu chefe é um esporte que eu pratico?

— Pense assim: você faz as pessoas rirem e, graças a Deus, nunca quebrou nenhum osso — ele tentou consolá-la com um sorriso.

— Eu não quero ser uma piada, quero ser levada a sério, papai — os lábios finos de Ayla tremiam ligeiramente. — Por causa das quedas, fui atrás da aula de pilates para ver se adquiro mais firmeza nas pernas, já que não posso mudar o fato de me locomover por aí com apenas quarenta por cento da visão! E sobre o trabalho, fiz tudo o que me mandaram, mas eu não sabia que o documento deveria ser expedido por uma instituição autorizada. Achei que, fazendo um modelo parecido, daria certo. Mas eles disseram que não! Pai, minha vontade é fazer uma oração igual àquelas de Salmos! — A raiva brilhava em seus olhos molhados.

— Até imagino que tipo de oração seja! — Ele se permitiu rir da cara enfurecida da filha.

— As pessoas da empresa parecem implorar para que eu ore igual o salmista: para Deus dar um *jeito* nos meus inimigos!

— É, eu sei que sua paciência não é como a de Jó. Está mais para a de Pedro, que sacou a espada e achou que Jesus o chamou para ser um gladiador — brincou ele.

Enraivecer-se com a injustiça praticada contra ela era uma reação habitual de Ayla. Somado a isso, ainda lançava sobre si própria a culpa, tendo dificuldade para reconhecer que os outros também tinham sua parcela de responsabilidade.

— Realmente, sua situação é complicada. — Ele procurou mostrar seriedade. — Como saber se eles nem lhe disseram nada? Então, me escute bem, minha filha... — disse envolvendo o rosto de Ayla com suas mãos. — Há ambientes que infelizmente são assim mesmo. Nem todo mundo procura cultivar um lugar onde os outros se sintam bem-vindos, acolhidos, com coragem de pedir ajuda quando necessário. Simplesmente esperam que a gente saiba de tudo! Mas, lembre-se...

Foi a vez de Abner respirar fundo e sentir as forças se esvaindo. Mas ele precisava ser forte. Não por si, mas por aquela menina parada à sua frente com os olhos avermelhados, as bochechas rosadas, o coração parecendo prestes a explodir no peito.

Por um segundo, ele focou sua visão nas palmeiras ao longe. Tão perdido em sua dor e luta diária, sequer havia notado as florestas densas rondando o prédio onde se abrigava havia meses, o que lhe deu enorme saudade de casa e de tudo que havia deixado para trás. Agora, porém, aquela era sua vida desde que havia recebido a notícia. O diagnóstico.

— Você fez o que pôde, minha filha. Deu o seu melhor dentro do que sabia e poderia fazer. Talvez os outros não vejam quanto você sofre por errar em coisinhas tão pequenas. Também não devem fazer ideia de que toda essa exigência está custando seu sono e fazendo você se ver de uma forma que não é a mais correta, porque nesta terra não há ninguém mais incrível e capaz do que você! Então, meu passarinho, voe sem medo e não deixe que eles nem ninguém cortem suas asas. Está me ouvindo bem? — disse, com tom de voz suave e calmo.

Após alguns segundos de silêncio, os grunhidos do "passarinho" se fizeram ouvir, acompanhados de lágrimas. Ele recomeçou:

— E você não acha que está na hora de abrir mão desse emprego que não faz nada bem para você? Que tal confiar que o Senhor vai prover algo melhor?

A menina não disse palavra alguma, nem balançou a cabeça aceitando ou recusando o conselho do pai. Somente colocou as mãos trêmulas sobre as dele e tomou o ar entre seus lábios também tremidos. Fechou os olhos e se deixou inebriar por aquele momento. Tudo tão azul. Tudo tão cinza. Era tão difícil não deixar que as críticas definissem sua jornada, e tão fácil se julgar a partir do que os outros achavam dela — ou do que ela acreditava que os outros pensassem a seu respeito.

— Filha, me promete que pelo menos vai se perdoar sempre que algo assim acontecer? — questionou ele, a voz fraca.

Sabia que não teria mais tanto tempo pela frente para instruir Ayla em tudo que ela precisaria. Aquela menina e seu irmão caçula teriam de cuidar de si mesmos em algum momento. Essa era uma preocupação que levava Abner a orar noite após noite, pedindo aos céus que lhe permitissem ficar mais um pouco neste mundo.

Desta vez, Ayla assentiu com a cabeça, ainda mantendo as mãos em volta das dele. Os dedos alongados do pai nunca foram tão reconfortantes e seriam uma saudade imensa no futuro. Mas ela não sabia se conseguiria de fato cumprir aquela promessa. Pelo menos não até aquele dia, um ano depois. Na semana em que a primavera chegou a um lugar bem distante dali, uma terra de cerejeiras, montanhas e de uma cultura tão diferente da sua, quando precisou tomar uma das decisões mais difíceis de sua vida em meio a uma crise que roubou o ar de seus pulmões.

Alguns até poderiam dizer que era sorte, mas não era coincidência aquele rapaz de olhos com os cantinhos esticados e uma voz tão melodiosa estar naquele lugar exatamente naquele segundo. Um esbarrão. Os óculos voando outra vez. E ela. A menina que não conseguia aceitar os próprios erros. E ele. O garoto que escondia uma ferida e não se permitia tratá-la.

2
E se demorar para conseguir superar?

Gostos. Cheiros. Texturas. Sons.

Um ano depois, a memória de Ayla Vasconcellos estava repleta desses elementos do passado, a ponto de não se dar conta de que estava sendo observada naquele exato momento. Eram sensações que se ligavam instantaneamente às suas lembranças e que a acompanharam enquanto caminhava naquela noite de abril entre as árvores recém-podadas. As cerejeiras brancas floresciam, enfileiradas em cada lado do extenso pátio da Universidade Yeon. Misturado ao aroma das pétalas que caíam, a garota sentiu o cheiro de concreto que emanava do chão de paralelepípedos, molhado pela chuva fria que saudava a primavera em Seul.

A textura escorregadia do piso, a água que caía gelada sobre sua cabeça descoberta, os sons dos passos apressados das pessoas à sua volta, tudo isso lhe trazia à garganta um gosto de macarrão cozido. Era como sentir subir por suas narinas o vapor do lámen da refeição que havia dividido com seu pai, em um inusitado restaurante de comida coreana no Maranhão. Era impossível não se lembrar de seu pai. Ele que havia partido deixando em seu lugar uma cadeira vazia, um buraco que jamais seria preenchido, uma saudade que não ia embora nunca.

A recordação do sabor do kimchi, na primeira vez que o experimentou na vida, tomou-lhe com força. Era sua memória afetiva mais avassaladora. Um cheiro que se conectava ao sabor salvo em suas lembranças, ao dia em que tudo mudou após ter feito pela segunda vez *aquela oração*, carinhosamente chamada de *oração-da-ovelhinha-solitária*.

De repente, sua mente viajou e não estava mais na Coreia do Sul. Retornou para os meses anteriores e lembrou-se da última visita que fizera a seu pai, antes que ele fosse internado na Unidade de Tratamento Intensivo. A calmaria que antecede o caos. O que havia aprendido com Hazel Grace em *A culpa é das estrelas* como sendo "o último dia bom". Aquela sensação de que não havia nada melhor, mas que alguma coisa pode lhe ser tirada, embora não haja o que fazer sobre isso, apenas viver o momento. E ela de fato o viveu ao lado de Abner, enquanto ele a consolava pelos problemas que passava no trabalho. Quando era ele que precisava de conforto.

Era difícil encontrar uma resposta para o que sentia quando as tais lembranças vinham. E se a sua suposta capacidade de superar as tempestades que a assolavam e recuperar-se das quedas e cicatrizes ainda não curadas estivesse ligada ao fato de não se lembrar mais daquilo que tanto a havia machucado? Acaso significava que apenas ao perder a memória ela poderia se arriscar a dizer que estava bem?

Ela não sabia dizer, mas sentia que, qualquer que fosse a perda que alguém pudesse sofrer na vida, seja de um animalzinho de estimação na infância, seja da autoconfiança pela traição de um namorado que estava longe de ser um *presentinho-de-Deus*, esquecer não era o remédio. Talvez tivesse mais a ver com o significado que precisava atribuir às lembranças, isto é, escolher que tipo de impacto elas exerceriam em sua vida. Mesmo que se achasse impotente diante delas, acreditava que seu cérebro poderia aprender a olhar de modo menos desastroso para suas feridas internas.

— Será que é possível morrer congelada? — A garota tremeu seu corpo de um metro e sessenta e três. — Meu Deus do céu, eu ainda nem casei!

Em sua desatenção, não tinha como notar que um par de olhos escuros não saía de cima dela. E eles não se cansavam de observá-la. Uma atenção que não havia começado ali. Fazia algum tempo que ele a via. Os passos dele se confundiam com os da multidão, por isso Ayla nada percebeu. Tudo que ela conseguia sentir era a violência das gotas pesadas caindo sobre seus braços nus.

— *Aigoo...* — o observador murmurou ao torcer o nariz. — Essa garota vai acabar pegando um resfriado!

Ayla não o escutou e respirou fundo três vezes. A verdade é que ainda não havia aprendido a ressignificar o passado, porque talvez não estivesse mesmo recuperada. Contudo, sabia que não era como os outros em suas formas de superação. De fato, aos 21 anos, Ayla Vasconcellos não era a pessoa mais comum deste mundo. Longe disso. Tinha sempre de explicar que era brasileira, apesar de seus traços asiáticos, os olhos angulares, ovais e pequenos, com cicatrizes quase imperceptíveis da cirurgia a laser de fotocoagulação que fez quando criança, devido ao descolamento das retinas.

Nasceu no Maranhão, assim como seus pais, e não nas Filipinas, a terra de sua avó paterna. A genética lhe havia proporcionado esse presente fenotípico, o que a fazia ter a cara da matriarca da família Vasconcellos. Além disso, tinha uma boa história para contar a respeito da ascendência asiática de sua inusitada família brasileira-filipina. Se havia uma coisa que amava na vida, era a narrativa de como o ousado Otávio conhecera Nathalie em meio a uma missão evangelística, em plena década de 1960, e lutara para conquistá-la por não saber falar seu idioma. Um soldado do Senhor promovido!

Outro aspecto incomum em Ayla dizia respeito às playlists que criava com suas músicas prediletas: sempre as músicas coreanas mais tristes, capazes de fazer os ouvidos chorarem, compostas por músicos que quase nenhum de seus conterrâneos conhecia. Havia ainda seu gosto peculiar por colecionar diferentes tipos de velas aromáticas, nunca tendo usado nenhuma delas. Nem uma única vez. O máximo que fazia era imaginar o cheiro de cada uma delas e como seria aconchegante a luz que poderia algum dia tremular por todo o seu quarto minúsculo.

Assim, ao suspirar fundo de novo, sentiu uma vez mais que nela as emoções se davam em intensidades diferentes das dos outros. Por que continuava se segurando ao que doía? Em que parte de seu cérebro estavam armazenadas tantas memórias que só existiam para trazer desconforto e, vez ou outra, sensações que, de tão boas, faziam que sorrisse do nada?

— Oh! — ela exclamou abruptamente.

Um tropeço a fez parar. Forçou a vista detrás dos óculos e notou que os cadarços do Vans preto haviam se desamarrado. Abaixou-se e sentiu aumentar a intensidade da chuva sobre sua cabeça por causa daquele gesto. Ainda bem que sua mochila era impermeável, do contrário seus livros, caderno e celular estariam totalmente ensopados. Arriscou-se a olhar para cima e notou, pela primeira vez, que havia alguém atrás dela. Em seguida, mirou o Haru Building, o prédio antigo onde aconteciam suas aulas, quase uma aparição medieval em meio à renomada faculdade.

Tudo que sua baixa visão enxergou foi a construção de pedras com uma torre mais alta no centro e outras mais baixas dos dois lados, com o meio demarcando imponentemente uma espécie de mirante de três andares. A fachada do prédio era coberta por ramos de trepadeiras, com um belíssimo jardim na fachada e cerejeiras ao redor.

— *Caramba!* Não acredito que estou tremendo tanto — murmurou ao voltar-se para si mesma e sentir todo o corpo balançando involuntariamente.

Ainda abaixada, com os dedos gelados lutando para amarrar os cadarços, Ayla sentiu quão longe de casa estava. Não dava simplesmente para pedir carona a colegas que mal conhecia, ou esperar horas até a chuva passar. Também não fazia sentido avisar à sua mãe que chegaria tarde em casa e que deveria esperá-la com uma xícara de chá de hortelã, porque seu apartamento estava vazio.

— Eu vou assim mesmo! — bradou ao colocar os cadarços dentro do tênis e escondê-los.

Porém, seus pensamentos não poderiam ser facilmente escondidos. Continuava em busca de respostas. Se seus parentes passaram pela mesma perda, por que, em seu coração, parecia doer mais? Ou os outros apenas não demonstravam? Acaso eles escondiam? Ou realmente o tempo deles de chorar havia acabado? Isso era bom, afinal. Era justo. Ayla, porém, continuava cultivando um deserto árido. Solitário. Lágrimas engolidas a todo custo. Se já era frágil por dentro, não demonstrava nenhuma fraqueza em sua carcaça.

Esse era o peso de não conseguir falar a respeito, de impedir que soubessem que os últimos meses não haviam melhorado coisa alguma seu luto. Tudo ainda parecia recente, incerto, tão próximo daquele exato segundo em que seu coração quase parou. Pois seu tempo era outro. Sua forma de sentir a perda também era diferente. Deveria aceitar ou ao menos entender que cada um tem o seu jeito de enfrentar os próprios fantasmas.

Não significa que nos outros não existam batalhas internas. Quer dizer apenas que há todo tipo de gente no mundo. Aqueles que choram os fracassos por algumas horas e outros que levam décadas para se desprender do que deu errado no passado. Essas batalhas internas são inerentes ao que é ser, de fato, um humano. É aquilo que os torna vivos, pulsantes.

Então, em meio a seus muitos questionamentos, baixou a visão do céu nublado, não enxergou mais nada, os óculos totalmente molhados. Decidiu que seria melhor apressar o passo, caso quisesse evitar um forte resfriado e uma provável nota zero por perder a apresentação importantíssima que faria no dia seguinte, na qual teria de enfrentar um de seus maiores medos: uma plateia crítica.

Inesperadamente, ouviu passos se aproximarem. E, ainda mais inesperadamente, sentiu uma haste de alumínio tocar sua pele e dedos aquecidos envolverem sua mão esquerda. Arrepiou-se com os calos forjando uma pele mais resistente naquela mão, que lhe parecia estranhamente familiar. Virou-se e deu de cara com alguém imerso na escuridão. Havia nele um cheiro que emanava frescor, camomila e lavanda. Como a nitidez de sua visão ficava ainda mais comprometida à noite, enxergou somente os contornos de um guarda-chuva azul.

— Use-o, senhorita, depois você me devolve! — disse o rapaz ao levantar as mãos para cobrir o rosto, quando pingos de chuva também inundaram as lentes dos óculos dele.

— Mas quem é... — Não teve tempo de terminar a pergunta.

Ayla se viu petrificada diante daquele sujeito que ousadamente a tocou sem pedir licença. Só o estrondo do objeto de plástico encontrando o chão a fez acordar. Logo abaixou-se e segurou o guarda-chuva acima da cabeleira de fios em castanho-claro, as mechas grudadas em sua testa. Piscou algumas vezes, procurando em volta por aquele que lhe tinha dado proteção da chuva e se deixado molhar pela tempestade.

Queria ter visto o rosto dele, mas nada enxergou além das pessoas que passavam apressadas tentando fugir da chuva e ir logo para casa.

— Você não precisava ter feito isso! — exclamou para o nada, ao andar mais apressada, sabendo que o ônibus que a levaria para o dormitório deveria estar no ponto naquele momento. — Eu nem sei quem você é...

Lágrimas começaram a correr violentamente por sua pele. *Por que ele fez aquilo?* Balançou a fronte pingando e procurou pôr o passado de lado. Não pensaria mais em sua dor. Pelo menos, não enquanto estivesse a caminho da parada de ônibus — o motorista não a esperaria se recuperar de suas rachaduras internas.

Ela não teria como imaginar que o rapaz, o dono do guarda-chuva azul, olhou para trás ao também andar apressadamente rumo à saída da universidade. Ele tirou as mechas do cabelo liso, de um preto brilhante, que caíam sobre sua testa, e virou-se para contemplá-la uma última vez. Aquela moça de quem Joon Hyuk não conseguia pronunciar o sobrenome também o lembrou de algo, ou melhor, de alguém. Ela, com suas calças jeans, colete de tricô xadrez cobrindo a camisa branca e óculos salpicados de água, o remeteu ao dia em que uma pessoa que ele tanto amava lhe deu uma notícia.

Uma coisa que Joon Hyuk nem ninguém poderia mudar. O tipo de situação que ele também não superaria tão rápido, como os outros pareciam fazer melhor que ele, ainda que buscasse qualquer recurso para ao menos anestesiar o desconforto que vinha com as lembranças. Sentia tão somente um sufoco interno, que havia mudado sua feição e lhe dera, aos 23 anos, uma expressão de profunda seriedade e timidez. Diziam alguns que a mudança era sinal de maturidade. Para ele, era tão somente uma forma de lidar com as perdas.

Então, ao encarar Ayla Vasconcellos segurando seu guarda-chuva azul em meio ao pátio da Universidade Yeon, foi a vez de Joon Hyuk respirar fundo e se perguntar baixinho:

— Devo esperá-la e perguntar se está tudo bem? *Aigoo!* — Levantou os óculos com a ponta dos dedos calejados de tanto empurrar um carrinho de mão na adolescência e de trabalhar pesado anos depois em um restaurante.

Ele temia se importar demais com as pessoas, principalmente com quem mal conhecia, e acabar se ferindo no processo. Mas houve uma dúvida que o rapaz não teve coragem de pronunciar. Ainda assim, o firmamento acima de seus olhos angulares, que lhe davam um aspecto de lobo, como sua mãe gostava de dizer, lhe fez o seguinte questionamento: as cicatrizes de perdas não curadas eram capazes de unir dois *quase* estranhos num dia cinza? O que o horizonte em tons de chumbo construiria em torno de tantas feridas não ditas, mas *brutalmente* silenciadas?

3
Quando os ruídos ao redor são altos demais

Embora tivesse chegado sã e salva a seu dormitório e a chuva houvesse passado, o novo dia ainda parecia uma noite sem fim. A alegria não viera ao amanhecer, pelo menos não para Ayla. Seus pensamentos ansiosos continuavam gritando que os outros jamais a achariam boa o suficiente. Diziam-lhe também que talvez devesse voltar para casa e trancar-se no quarto, esquecer aquela vontade *idiota* e limitar-se, como havia feito por todos aqueles anos. Voltar a ser um pássaro preso em uma gaiola velha, pois o voo não parecia lhe pertencer. Nunca foi seu.

A lembrança de um sonho, no qual corria descalça no meio de uma multidão de rostos zombeteiros, fez sua vista embaçar e as pessoas dispostas pela extensa sala de aula tornaram-se borrões. Uma voz interna lhe dizia que alguém com uma deficiência tão incompreendida quanto a sua não poderia estar ali, estudando em plena Universidade Yeon, uma das instituições mais disputadas do continente asiático.

— Se a gente tirar zero por causa dela, eu juro que... *Aish!* — murmurou Chae Nabi ao bater o pé no chão e sacudir os braços, que seguravam uma folha com pautas vermelhas contendo suas anotações. Não queria acreditar que havia comprado aquele conjunto de saia e terninho esverdeados para nada.

Ji Hoon era outro integrante da equipe que não escondia a insatisfação. O jovem coreano vestido elegantemente com um blazer escuro estava apertado no canto do palco com mais duas garotas. Os três enfileirados ao lado da imensa imagem transmitida na parede. Aproximou seu rosto da senhorita Chae para sussurrar em seu ouvido:

— A culpa é da *Ba-ram*, que disse ao professor que poderíamos aceitar a Ayla em nossa equipe! Como se tivéssemos a obrigação de sermos *santos* por querer alguém como *ela*! — acabou falando um tanto alto demais.

— *Minha* culpa? — bradou a outra menina do grupo, jogando o longo cabelo liso para trás. — Eu apenas achei que a senhorita Vasconcellos fosse capaz de pelo menos falar o que estudou! Como eu ia saber que ela iria congelar justamente na hora da apresentação? — respondeu irritada, sacudindo-se como uma criança birrenta faria na fila do supermercado por não ganhar um doce.

Embora Ayla não pudesse enxergá-los com perfeição, conseguia ouvir com clareza cada murmúrio. Os sussurros tornaram-se ecos que gritavam em seus ouvidos. No momento em que a luz da primavera atravessou as largas janelas sem pedir licença, banhando os fios de seus cabelos com tímidos raios solares, percebeu que nada poderia aquecer suas mãos, que suavam frias. Mesmo que o vento conseguisse empurrar o cheiro adocicado do jardim florido daquele início de abril, estava cada vez mais distante de seus sentidos algo além da decepção consigo mesma. A mesma vermelhidão que queimava suas maçãs do rosto invadia os olhos amendoados.

Estranhamente, sentiu falta da tímida ajuda que havia recebido na noite anterior, quando um estranho lhe dera um guarda-chuva azul e saíra correndo. Ali, naquela sala de aula, havia outro tipo de tempestade, mas desta vez não poderia contar com ninguém além de si mesma e da força que vinha do alto.

Atreveu-se a piscar e, no mesmo instante, lágrimas correram por sua face parda. Encarou uma vez mais seus colegas de turma emitindo murmúrios ininterruptos em seus bancos acolchoados, múrmurios que se transformaram em linhas dispersas pelo imenso mar, diluindo-se onde o céu azul perde suas bordas, unindo oceano e nuvens num mesmo campo de visão. Era tudo que conseguia ver. Aquela multidão de figuras disformes que a julgavam incapaz de ocupar uma posição tão disputada.

— O que mesmo ela está fazendo aqui? — uma garota perguntou no meio da plateia, arrancando risadas dos jovens sentados na mesma fileira.

— Senhorita Vasconcellos? — perguntou o professor Jung ao levantar-se de seu assento e dar um passo para mais próximo da garota.

A brasileira estava em pé sobre o tablado de madeira forrado com um carpete verde-musgo. Pensou se havia algo errado com seu vestido azul-marinho de botões dourados sobreposto em uma camisa branca de mangas até os cotovelos, além da boina sobre os cabelos, porque todos a olhavam sem parar. Aquela sensação de estar exposta piorava ainda mais sua fobia social e fazia que ela se sentisse nua.

Será que não poderiam se colocar em seu lugar e pensar, nem que fosse por um minuto sequer, o quanto aquela apresentação era um evento estressor em sua vida? Sua saúde mental, contudo, não receberia qualquer atenção, e mesmo que recebesse não mudaria a realidade: iria culpar-se demasiadamente e temer a repercussão negativa em seu grupo. Não era um pensamento que ela pudesse controlar, por ser mais um sintoma da fobia social, somada a uma sensibilidade extrema. Por isso, Ayla lutava em vão para segurar o choro na frente de seus colegas, com os quais não tinha nenhum vínculo, pois para eles aquelas lágrimas poderiam ser interpretadas como sinônimo de fraqueza.

Ela não desejava que a vissem tão entregue a emoções incompreendidas por muitos dali, que pareciam nunca demonstrar tristeza ou sentimentos de perda, mas tão somente raiva quando se sentiam injustiçados e uma cobiça que os fazia correrem atrás de superar os outros. Almejavam brilhar de modo a chamar a atenção de grandes empresas e não queriam ser apagados por uma apresentação malsucedida.

— A senhorita ainda vai apresentar o trabalho? — O professor Jung deu um passo. — Ou prefere falar em outro momento? — Aproximou-se mais. — Quando estiver calma e... — No segundo em que estendeu a mão para convidá-la a se retirar do palco, no qual estava parada feito uma estátua de sal havia uns três minutos, a menina deu um sobressalto.

— Perdoe-me! — Curvou seu corpo para a frente e, ao jogar as ondas de cabelos castanhos, quase derrubou a touca. — Perdoe-me, senhor Jung! — praticamente gritou ao fazer mais uma reverência, que a flexionou demais. Parecia capaz de quebrá-la ao meio.

— Pelo quê, senhorita? — lançou-lhe a pergunta com o rosto confuso.

Mas ela não pôde ouvi-lo. As batidas de seu coração soaram mais fortes quando deu um pulo da plataforma, correndo em direção à primeira fileira. Com as mãos trêmulas, apalpou a larga mesa retangular, à procura de seus pertences. Sentiu o couro macio de sua mochila e a puxou para si com os livros que a cobriam. Abraçando tudo que era seu, andou apressada rumo à saída, que era mais um borrão em seus olhos molhados, focando-se numa mancha vermelha na qual se lia a palavra EXIT.

Não sabia, porém, que no trajeto apressado, justamente no instante em que fechou a porta atrás de si e colocou para fora da sala seus pés, ela se chocaria com aquele rapaz que chegava frequentemente atrasado às aulas. A colisão de seu peito frágil com o moço de abdome firme a lançou no chão de imediato. Tudo que sobrou foram livros espalhados pelo piso, mochila aberta e celular com a tela virada para baixo. Ambos eram ímãs de forças totalmente opostas que se recusaram a se atrair. Até aquele momento. Desencontros que culminaram naquele pequeno caos.

Todavia, o que realmente desconcertou Ayla foi sentir o borrão praticamente sumir em seu campo de visão. Não havia mais mar, céu, nem nuvens. O horizonte se dissipou.

— *Meus óculos!* — gritou em português com toda a força. — Cadê eles? — E sentiu que o choro era iminente.

4
Talvez ele não seja alguém que vá quebrar seu coração

— Ai, senhorita Baz... — gemeu ao não conseguir pronunciar o sobrenome dela, que soava tão estranho a seus ouvidos. — O que você está dizendo? Pode falar no meu idioma, por favor?

Joon Hyuk massageou levemente a barriga, na região do estômago, onde Ayla desferiu um verdadeiro golpe quando se chocou contra ele.

— *Eu preciso dos meus óculos!* — implorou em coreano.

Ela concentrou-se no sujeito que se mexia à sua frente, em meio às paredes brancas da universidade e o pé direito alto do teto. Não sabia quem era aquele rapaz jogado no meio do corredor, porém tinha a sensação de que o conhecia de outra situação. Um encontro mais próximo, mais intimista. Além disso, a voz grave do moço lembrava alguém com quem havia trocado uma ou duas palavras durante o começo de seu intercâmbio, o que não fazia nem quatro meses àquela altura.

O curso de dois anos de Artes Culinárias era uma graduação técnica que estava sendo oferecida pela primeira vez na Universidade Yeon, especializada no modo singular como a comida fazia parte da cultura coreana. Por isso, a turma ficava alojada em salas disponibilizadas na parte histórica do campus.

— Está procurando isto aqui? — Estendeu uma haste metálica

vazia e mais uma lente de vidro solta. — Acho que eles ficariam melhor juntos, não? — indagou ao mirar o que restou dos óculos de aro arredondado. — Isso não é nada bom, senhorita — estalou a língua nos dentes alinhados e brancos.

— Do que você está falando? — Em vez de se erguer, a garota engatinhou para junto do moço ajoelhado, chegando a sentir seu hálito de menta misturado ao perfume adocicado. Aquele cheiro de lavanda era tão familiar. — Me dá meus óculos, *seu maluco!* — berrou.

Ayla usou toda a informalidade que havia em seu vocabulário, mesmo tendo doutorado em k-dramas e sabendo que isso era uma tremenda falta de educação. Nem se importou com a certeza de que havia dezenas de olhos mirando-a, pois a queda parou as andanças por ali e reuniu espectadores à sua volta.

A cena era de fato singular. Uma estudante estrangeira esparramada no assoalho aquecido tendo, a seu lado, um rapaz coreano caído de joelhos.

— *Maluco?* Eu? — Uma risada ecoou da garganta de Joon Hyuk. — Foi a senhorita que saiu em disparada da sala, não olhou para onde ia, me derrubou no percurso e ainda acha que *eu* sou o doido da história? — E gargalhou outra vez, enchendo o corredor com sua voz grave.

O que ela não esperava era que o som da risada dele se tornaria um dos sons mais bonitos que ela já tinha ouvido naquele país. Apesar de todas as músicas coreanas que escutava, desde o k-pop ao k-indie, não havia nada mais harmônico do que aquele timbre aveludado, que arrepiou os pelos de seus antebraços de forma totalmente involuntária.

— Meu Deus do céu, o que vou fazer agora? — choramingou em português, ao apoiar as palmas das mãos no chão e tentar se erguer. Estava de frente para o moço, inebriada com a voz dele.

— O que disse, senhorita? — ele inquiriu ao não compreender o que ela falava em outro idioma encarando-o.

Isso o deixou meio desconcertado, pois nunca tinha visto tão de perto os traços asiáticos do rosto daquela garota. Não deixou de perceber que havia pequenas cicatrizes em seus olhos, uma em cada íris, o que as deixavam com um aspecto único. De longe, não havia notado esse detalhe, que conferia tanto brilho e beleza àqueles olhos amendoados. Eram tão singelos. Fortes. Determinados.

— Não é nada! — ela vociferou em coreano ao bater a ponta do sapato sobre seus pertences, abaixando-se em seguida para procurá-los.

Joon Hyuk continuou sentado em silêncio, observando por alguns segundos cada passo que a menina dava, e pensou no que deveria fazer. Era melhor entrar na sala e esquecer aquele episódio? Afinal de contas, exceto uma leve dor no abdome, nenhum dano lhe havia sido causado. Tudo fora apenas um acidente, e eles não estavam em nenhum k-drama — não tinha obrigação de seguir um roteiro e ser o galã que ajudaria uma menina que ele mal conhecia.

Uma menina que, ele agora lembrava, gostava de andar distraída pelo pátio da universidade carregando uma aura de solidão em torno de seus cabelos castanhos, enquanto ele se achava de baixo do sol ameno de primavera podando alguma planta. Depois, só a via durante as aulas, e tudo que sabia sobre Ayla era o quanto podia ser desastrada. Alguma coisa lhe revirava por dentro sempre que a via com uma faca na mão, porque certa vez ela se machucou sozinha ao cortar os legumes no laboratório.

Contudo, ao mirar os óculos quebrados, ergueu o queixo e encarou a menina que apalpava o chão, evidentemente sem enxergar o que estava bem à sua frente. Ele engoliu em seco e se esforçou para expulsar para bem longe de sua consciência todas as vezes que ajudou alguém, abrindo mão do próprio bem-estar. A ingratidão com que retribuíram, porém, o quebrou. Suas renúncias de nada valeram para quem não compreendia seus sacrifícios.

Ele não se via como um Sr. Gentileza, mas simplesmente não conseguia não se importar. Talvez tudo tivesse começado com o guarda-chuva azul no dia anterior, mas sabia que havia sido bem antes. Agora estava de novo diante da menina que era tão solitária quanto ele. A garota que era sempre a última escolhida nas duplas ou grupos, assim como ele, conhecido como "o atrasado".

A verdade é que alguns colegas — não todos, felizmente — tinham medo de Ayla não saber trabalhar direito e isso afetar a qualidade do prato. Eram tão preocupados com os rankings e o desempenho que eram capazes de ignorar qualquer um, ainda mais se enxergassem na pessoa algum traço de vulnerabilidade.

— Eu nem dormi esta noite e estou aqui me preocupando com ela outra vez — sussurrou entredentes.

Sua rotina estava um tanto puxada porque, quando não estava em seu emprego de meio período cuidando das áreas verdes da universidade ou estudando até tarde no laboratório de culinária, ia trabalhar no Seoulover, uma das cafeterias mais famosas daquela cidade. Geralmente só ia para lá nos finais de semana, mas naquele mês decidiu ir mais vezes para juntar grana extra para uma viagem à fazenda onde havia crescido, em Daegu, embora precisasse fazer um verdadeiro malabarismo com seus horários, pois tinha aulas quase todos os dias e pegava mais de uma hora no metrô até a universidade.

Porém, a luta maior era desacelerar e compreender que estava se recuperando de uma dor indescritível. Mas como poderia parar a fim de dar mais tempo para si? Por isso, na noite passada, Joon Hyuk havia se sentado em uma das cadeiras da varanda da cafeteria e encarado a Lotte Tower, um gigantesco arranha-céu no meio do distrito de Songpa-gu. Seus olhos escuros brilhavam ao contemplar o edifício iluminado artificialmente por lâmpadas de todas as cores possíveis. Ali, ele temeu o que aconteceria com sua dor conforme os meses passassem e *aquele dia* reaparecesse no calendário. Iriam culpá-lo outra vez por ter permanecido em silêncio? Uma dor misturada às outras comprimiu seu peito. Todos os dias orava para que aquele desconforto passasse e se sentisse bem consigo mesmo outra vez, não mais se culpando, mesmo que a sensação de perda não tivesse cessado por completo, como se a qualquer momento o telefone pudesse tocar e ele ouvir alguém lhe dizendo que outra pessoa havia partido. A verdade é que havia tantas coisas para resolver dentro de si, mas decidira renunciar ao medo de se decepcionar por causa daquela garota que não lhe devolveu seu guarda-chuva azul. Ele a viu catando seus pertences.

— Me deixa ajudar você com isso — pediu ao arrastar-se de joelhos e ir recolhendo os livros espalhados pelo chão. — Esse celular é seu também, não é? — Ajuntou o aparelho e se levantou do chão, estendendo os objetos na direção da menina. — Tem mais alguma coisa que eu possa fazer?

Ayla esforçou-se para mirar aquele borrão assimétrico à sua frente e andou bruscamente na direção dele, chocando-se novamente contra o corpo de Joon Hyuk, que fora rápido o suficiente para afastar os materiais para o lado e deixar o caminho livre para que o rosto dela batesse em seu peito. Sem querer, envolveu o braço livre no ombro dela. Quem os visse de longe poderia pensar que se tratava de um casal que acabara de se reconciliar após uma discussão.

— Me perdoe pelo que vou perguntar agora, mas você *realmente* não consegue enxergar direito? — inquiriu em tom de voz baixo para não a constranger.

Ainda tão próximos. Juntos. Respirando o mesmo ar naqueles centímetros que os mantinham tão pouco distantes um do outro.

— Primeiro, me diga o que você quer dizer com "realmente"! Porque creio que toda pessoa neste mundo tem algum problema na visão! Exceto, é claro, o Super-Homem! — ela respondeu rispidamente, como fazia toda vez que se sentia amedrontada, e deu dois passos para trás.

— Não foi isso que eu quis dizer! — Afagou o ombro que continuava segurando. — Eu também uso óculos e quando os perco pela casa fico praticamente cego e gritando para minha mãe encontrá-los. É que suas lentes estão quebradas e você estava tendo dificuldades para encontrar suas coisas...

Embora estivesse se explicando, sentia que não era o jeito mais adequado, mas, por estar nervoso, não sabia bem o que dizer. Fazia tempos que não tocava uma garota daquele jeito. Desde antes de tudo se desfazer como um nó que nunca sequer existiu.

— Adoro quando uma conversa com um estranho se inicia com ele me perguntando que deficiência eu tenho. Você acabou de ganhar dez pontos! E é bom me soltar, pois já fez o bastante por hoje! — Ao sacudir os ombros, sentiu os dedos dele deslizando na direção de sua mão.

— Me perdoe, senhorita! Pegue aqui suas coisas. — Tocou a palma esquerda de Ayla e depositou sobre elas o celular e o que havia sobrado dos óculos. — Quer que eu coloque os livros dentro de sua mochila? — perguntou, envergonhado.

— Eu posso levar! Me dê aqui — esticou os braços para a frente.

— Certeza? — o rapaz perguntou em voz baixa, mostrando preocupação.

— Sim, eu tenho! — ela respondeu após abraçar junto ao peito todos os seus pertences.

Fez uma reverência, pois, pelo sotaque, ele era um coreano nativo. Agora tinha certeza de que o conhecia, mas não arriscava dizer seu nome.

— É melhor voltar a seus afazeres! E espero que nenhuma *maluca* esbarre em você novamente! — disse ela, pondo-se a andar logo em seguida.

Procurava o piso tátil que havia no meio do corredor, pois o único jeito de acertar a saída era por meio daquela trilha no caminho.

— Não é melhor eu acompanhá-la? Quer que eu a leve a alguma ótica para consertar seus óculos? Eu conheço uma que... — Deu uma pequena corrida para alcançá-la.

— Não é necessário! Eu tenho um de reserva no meu dormitório. A minha *sorte* foi que hoje resolvi não trazê-lo.

A mente dela estava tão focada no trabalho que apresentaria, que acabou esquecendo aquele item indispensável que jamais deveria sair de sua mochila.

— Na verdade, nem sei por que estou dando explicações a alguém que praticamente ajudou a quebrá-los. Com licença! — Dito isso, a moça que escondia seu pavor de estranhos no mau humor ocasional pôs-se a andar ainda mais apressadamente.

— Não se lembra mesmo de mim? Estudamos na mesma turma, só não fizemos nenhum trabalho juntos ainda no laboratório. Mas lembro que em nossa primeira aula teórica a gente meio que se conheceu... — Ele foi tentando se explicar ao alcançá-la. — Me chamo Joon Hyuk!

Tentou andar próximo ao piso tátil amarelo colocado recentemente naquele prédio. Ela deslizou os pés cautelosa, sempre mantendo a vista no horizonte cinzento, sem virar o rosto para os lados por temer colidir com alguma porta de vidro totalmente invisível em sua condição.

— *Joon Hyuk?* — repetiu o nome dele ao interrompê-lo em seu discurso.

Como poderia esquecê-lo? Lembrou-se então de quando o viu pela primeira vez.

5
Ele era o dono da voz que deveria tocar no rádio

Era final de fevereiro, numa das primeiras aulas do curso de Artes Culinárias. Ayla Vasconcellos espremia seus olhos atrás das lentes finas.

— Meu Pai eterno! — exclamou, impaciente. — Por que o professor não coloca uma letra maior nesses slides?

Joon Hyuk estranhou a garota estrangeira falando sozinha em seu próprio idioma, emitindo murmúrios o tempo todo. Ela passava mais tempo mexendo os lábios do que qualquer outra coisa. Embora ele obviamente não entendesse o que ela dizia, supunha que não estivesse cantando alguma canção alegre ou sussurrando o quanto aquela aula estava sendo maravilhosa.

Após observá-la por uns minutos, olhando-a de soslaio discretamente, constatou que Ayla tinha dificuldades para enxergar o que era transmitido pelo projetor, porque a via apertar os olhos e, ainda assim, não conseguir anotar muita coisa no caderno. Então, enquanto eles ouviam a introdução à disciplina de Antropologia e História da Alimentação, o moço ajeitou a gola da camisa branca coberta por um colete de tricô com estampa xadrez e tirou uma mecha de cabelo que caía sobre as lentes de seus óculos arredondados, para falar baixinho com a menina sentada a seu lado na última fileira da sala:

— Senhorita? — Tocou de leve no ombro de Ayla.

— Oi? — ela emitiu confusamente e se virou em sua direção, dando de cara com aquele rapaz coreano de testa franzida e cabelos lisos e negros despencando sobre a tez.

Seus olhos eram ao mesmo tempo ovais e puxados para as extremidades, o que via como um verdadeiro mistério. Se fosse compará-lo a um animalzinho de estimação, seria um gatinho com manchinhas, por ter um sinal na ponta do nariz e outro no queixo. Outra coisa que também lhe era estranha era a sinceridade que sentiu naquele castanho-escuro que preenchia sua íris. Porém, o que realmente a assombrou foram as simetrias *praticamente* perfeitas de sua face. Dava uma paz só de olhar para tamanha harmonia.

Borboletas dançantes invadiram seu estômago, mas queria expulsá-las dali. Tinha dito a si mesma que jamais voltaria à sua fase *dorameira-iniciante-iludida*, um período *fanfiqueiro* que tinha vivenciado havia alguns anos, quando erroneamente achou que todo homem coreano era como os personagens dos k-dramas. Ela se libertara dessas ilusões enquanto estudava coreano, em um curso on-line que sua avó Nath fizera questão de pagar, já que havia sido ela a responsável por apresentar os k-dramas à neta. Nas aulas, a menina aprendeu o bastante sobre a Coreia do Sul para saber que aquele era um país como qualquer outro, com pessoas reais e imperfeitas. Ou seja, por mais bonito que um homem coreano pudesse ser, era igualmente capaz de cometer um crime e jamais se deveria confiar cegamente nele, ainda que fosse uma cópia perfeita do Ji Chang Wook.

Mas o tal Joon Hyuk estava lhe trazendo complicações nesse quesito. Mesmo que não fosse parecido com *Wookie*, o amado de sua avó e que acabou se tornando também seu ator preferido, Ayla tinha outra certeza: seu colega não fazia parte da classe burguesa dos roteiros dos k-dramas, aqueles sujeitos com cara de

CEO portando um cartão sem limite capaz de comprar tudo que uma mulher quisesse só porque se apaixonou por seu jeito destrambelhado de andar por aí.

— O professor Jung não costuma disponibilizar os materiais que usa nos slides — ele aproximou ainda mais seu rosto do dela para lhe sussurrar. — Também não gosta de ficar repetindo as explicações depois das aulas, porque para ele isso significa que não estamos prestando atenção. Então, acho melhor você se sentar na frente! O pessoal de lá não morde, sabe?

— Realmente está bem ruim para mim! — ela disse numa risada fraca ao arquear as sobrancelhas finas. — Mas é que fiquei com vergonha de me sentar lá. De onde venho, os mais inteligentes ficam na frente, e estou longe de querer ser vista assim.

— Como eu disse, eles não mordem! Só são competitivos mesmo. Mas você vai conseguir se adaptar! — Levantou os punhos fechados no ar. — *Fighting!*

— E como é seu nome mesmo? — Outra dose de coragem que teve naquele dia, somada à sensação de que já o tinha visto antes daquela aula, talvez pela biblioteca ou pelo pátio principal. A tonalidade da voz dele lhe soava tão familiar!

— Me chamo Joon Hyuk — estendeu a palma aberta. — E a senhorita é aquela que tem um sobrenome difícil de pronunciar, estou certo? O professor quase pulou o seu nome na lista só para não chamá-la!

Quando Ayla Vasconcellos ia apertar timidamente a mão do colega e abriu a boca sorridente para se apresentar, sentiu que talvez tentasse cumprir uma das promessas que fizera à sua mãe, enquanto estavam no carro de Saori, a caminho do aeroporto, no dia em que pegaria o voo para a Coreia do Sul.

— Ayla, você precisa me prometer uma coisa — pediu Ana Vasconcellos. A mulher afastou os olhos da estrada e concentrou-se em sua filha, com Lukas no meio das duas, no banco de trás, usando fones antirruídos. O caçula dormia profundamente na cadeirinha acoplada ao assento.

— O que é agora? — a garota bufou ao erguer os óculos de lentes finas com a ponta do dedo, deslizando-o sobre o nariz afilado.

— Que não vai desistir na primeira dificuldade! — Voltou os olhos para a janela, novamente. — E quando as pessoas acharem que você não vai dar conta do recado, julgando-a por suas limitações e não por suas potencialidades, você se lembrará do que seu pai sempre lhe dizia... — A voz de Ana embargou ao citar o marido.

— Já são duas promessas, mamãe! — Ayla riu nervosamente, procurando aliviar o clima pesado pelo luto que ainda doía, apesar dos meses que haviam se passado.

— Eu sei! Mas você ainda precisa me prometer que não vai se isolar. Você vai tentar fazer amizades, sair com os colegas, procurar uma igreja que tenha pessoas acolhedoras... — A lista ia aumentando a cada metro que a Hilux branca de Saori avançava sobre o asfalto envolto por palmeiras. — Ver se encontra algum *namoradinho* que seja boa gente e de confiança! Eu ouvi falar da neta de uma senhorinha, que é amiga minha e de sua avó Nath, que encontrou um partidão por lá. Acho que a menina se chama Yarin Davies. Ela era da Igreja Monte das Oliveiras, acredita? E hoje em dia...

— Tudo bem, mamãe! — Ayla cortou a fala empolgada de Ana. — Eu já entendi! Tem mais alguma coisa que a senhora quer que eu faça por lá? Além de arrumar um noivo ou quem sabe assaltar um banco? Que deve ser bem mais fácil que encontrar o amor da minha vida!

— Sim, e é meu último pedido... — Ana soltou o ar pela boca aberta, enquanto seus lábios tremiam. — Nunca duvide daquilo que você carrega! Neste mundo nós ouvimos tantas coisas a respeito de quem nós somos. Mas, se acreditarmos mais nos outros do que em nós mesmos, vamos nos sentir perdidos e a nossa identidade vai se afundar. Por isso, lembre-se do que seu pai lhe falava!

As lágrimas começaram a correr livremente pela face rechonchuda de Ana, que rapidamente afastou uma mecha solta na testa e enxugou o pranto. Aquela mulher de 45 anos ainda sentia todos os dias a perda de Abner Vasconcellos, mesmo que em sua dor evitasse falar sobre ele. A perda se tornava ainda mais pesada quando a filha mais velha dava passos independentes, o que a deixava com insônia imaginando as dificuldades que a filha enfrentaria. Ayla havia sido tão bem cuidada pelo pai, mimada até o último momento de vida dele, antes que os órgãos de Abner parassem de funcionar à medida que a insuficiência renal piorava.

Ainda assim, em seus dias derradeiros, o pai tinha dito à menina que alugaria um jatinho particular, se fosse necessário, mesmo que todos soubessem que ele não teria condições físicas e muito menos financeiras para isso. Jurou que faria tudo que estivesse a seu alcance, abrindo mão dos próprios recursos, porque queria levar Ayla para a Ásia, como ela sonhava desde que assistiu seu primeiro k-drama.

Tudo começou quando a menina fora passar mais um final de semana com a avó paterna, em sua pequena fazenda, um verdadeiro paraíso afastado do centro de Barreirinhas, a cidade do Maranhão em que a garota morava com a família. Na propriedade dos avós havia ainda um riacho de águas cristalinas no fundo do quintal.

Depois do almoço farto com arroz de pequi, as duas se sentaram na frente de uma televisão de última geração, um dos itens mais preciosos da casa para dona Nathalie, perdendo apenas para seu exemplar da *Bíblia da mulher que ora*. A idosa de sessenta anos navegava impaciente pela Netflix em busca de algum título que lhe chamasse a atenção, então perguntou para a garota:

— Minha filha, já assistiu *The K2*? Já que não encontramos nenhuma novidade interessante hoje, que tal revermos esse k-drama de ação e aproveitarmos que seu avô não está, porque ele morre de ciúmes do meu *Wookie*! O que você acha, meu benzinho? — lançou um olhar todo brilhante e um sorriso animado para Ayla.

— *K-drama*? O que é isso, vovó? — A confusão de Ayla era notória.

— Benzinho, não acredito que você não saiba o que é uma novela coreana! — A neta balançou a cabeça em negativa sem esconder a confusão.

— A senhora está me dizendo que assiste a novelas de outros países? Tipo *Maria do bairro* ou *A usurpadora* em versão asiática? Isso passava no SBT também?

— Ai, ai, menina! Você me aparece com cada ideia! — Bateu de leve o controle na testa de Ayla, que emitiu um "ai" e massageou a pele. — Mas não tem problema! Me sinto honrada em te apresentar esse caminho sem volta! Só não conte à sua mãe que fui eu!

Assim nasceu o que dona Nathalie chamava de *dorameira--iniciante-meio-fanática*. O que só alimentou ainda mais o sonho de morar fora por um tempo. Queria ter a oportunidade de vivenciar uma cultura diferente da sua, andar por ruas e lugares nas quais nunca havia posto os pés, pois crescera ouvindo a avó contar sobre a vida nas Filipinas. Uma vontade que voltou com força quando, anos depois, uma situação inesperada fez que Ayla se sentisse aquecida por dentro. O tal episódio ocorreu em um dos poucos restaurantes coreanos que existiam em seu estado, onde conheceu uma das pessoas mais importantes de sua vida.

Por isso, toda vez que o medo queria dominá-la e fazê-la esquecer desse seu sonho, agarrava-se às palavras de seu pai como verdadeiros tesouros:

— Filha, você não é aquilo que o mundo fez de você. Não é definida pelos erros que cometeu, nem pelos tombos que levou pelo caminho. Você é aquela que veio ao mundo como lutadora e que continuará combatendo até ver os propósitos do Senhor se cumprindo em sua vida — Abner murmurou naquele leito de hospital antes de fechar os olhos e não voltar a abri-los nesta terra.

Mas ele despertou em uma dimensão em que não há mais dor, nem choro, uma dimensão na qual as coisas velhas ficaram para trás e tudo se refez. Uma dimensão na qual foi abraçado pela eternidade e receberá, um dia, diretamente das mãos do próprio Criador, seu galardão e um corpo incorruptível. Esse era o maior consolo da garota, embora ainda chorasse e sentisse o peito apertado pela saudade que tinha do pai todos os dias.

Diante de tudo isso, Ayla até poderia cumprir as promessas que fizera a sua mãe, porém, ao mesmo tempo, sentia que estava ferindo seu voto pessoal de *não-se-aproximar-de-um-coreano-padrãozinho-só-porque-ele-foi-gentil*. Não sabia exatamente onde estava se metendo, mas certamente poderia ser uma cilada. De todo modo, antes que pudesse pensar direito, alguém quebrou brilhantemente o clima que pairava sobre aqueles dois, que se encaravam sem ao menos piscar.

— Ei, vocês dois aí no fundo! — gritou o professor Jung, apontando a caneta na direção de Ayla e Joon Hyuk. — Acham que estamos em uma escola primária para ficarem de conversinha no meio de um assunto importante? Senhorita Vasconcellos, sente-se bem aqui! Vai até me ajudar a conhecê-la melhor! — berrou e gesticulou de cima do palco, chamando-a para perto.

Ela acabou tomando toda a atenção da aula, que naquele momento tratava da culinária coreana durante a escassez de alimentos após a guerra, mas tentou não demonstrar o desconforto das dezenas de pares de olhos encarando-a constantemente.

— Foi um prazer conhecê-lo, senhor Joon! — Apertou rapidamente a mão do rapaz e pegou suas coisas. Saiu andando de modo apressado para a primeira fileira.

Ayla era grata a Joon Hyuk por dois motivos: por ser sensível à sua condição, pausando o próprio processo de aprendizagem para se importar com o dela, mesmo não sabendo da deficiência que ela trazia consigo, e por ter falado com ela por livre e espontânea vontade, sendo simpático em vez de criar um muro de afastamento, como achava que outros haviam feito quando descobriram que ela era estrangeira e que possuía alguma condição na visão.

Paradoxalmente, contudo, Ayla não era nada agradecida por outra coisa. Uma vez que o rapaz havia puxado assunto com ela, levando-a a se sentar perto do professor, ela acabou se envolvendo com pessoas que a faziam se sentir menos do que realmente era. Os mesmos que a envergonharam na frente de toda a turma ao comentarem em murmúrios nada sutis que não a queriam em sua equipe.

Por isso, dias depois dessa aula, após terem se topado no pátio da Universidade Yeon em meio à chuva, e após a ter acompanhado a certa distância desde o momento em que saíram do laboratório de criação de pratos, o menino engoliu em seco a frieza que parecia querer imobilizá-lo e deu a ela o guarda-chuva azul. Tinha ouvido dizer que Ayla era da América do Sul e imaginou que uma pessoa que estava tão longe de sua terra natal deveria necessitar daquela proteção mais do que ele, que voltaria para sua própria casa e, embora também não tivesse sua mãe esperando por ele, ainda poderia encontrar o jantar pronto na geladeira.

A senhora Kim, sua mãe, trabalhava havia uns cinco anos no turno da noite de um famoso hotel em Gangnam, um dos bairros mais luxuosos de Seul. Seu pai, um caminhoneiro que passava mais tempo na estrada do que com a família, também era um tanto ausente. Mais uma dor silenciada no peito frágil do rapaz. Nunca se sentia adulto o suficiente quando o assunto era a solidão e a sensação de rejeição. Porém, enquanto encarava Ayla naquele momento, deixou tudo isso de lado. Embora mal a conhecesse, notou que não poderia simplesmente seguir seu caminho sem fazer algo pela garota. Ainda mais quando ela tinha os olhos vermelhos e um par de óculos quebrados.

6

Era como sentir-se abraçada por dentro

Relembrar aquele primeiro dia de aula deixou Ayla Vasconcellos menos receosa a respeito de Joon Hyuk. Nesse percurso entre a sala de aula e a saída do prédio, após ter congelado na apresentação teórica que antecedia uma prova prática, ela milagrosamente o deixou passar o cartão magnético na catraca, dando passagem para ambos. Já do lado de fora do Haru Building, a menina respirou fundo ao sentir o ar da primavera. Deteve os passos na fachada daquele prédio histórico, uma construção de três andares revestida de uma folhagem verde que chegava a esconder as paredes de pedras.

Fechou os olhos para tentar obter uma ideia melhor sobre o que fazer. Era como se só assim pudesse se concentrar nas sensações térmicas e nos sons ao redor, porque naquela parte mais antiga do campus o piso tátil não existia. A faixa amarela estava presente apenas fora das áreas históricas que circundavam a sede da Yeon. E como chegaria ao dormitório sem conseguir enxergar o caminho?

— E você é a Baz... Bazcon... — Hyuk forçou-se a lembrar o sobrenome dela, mas nunca tinha ouvido nada como aquilo em toda a sua vida.

— Pode me chamar de Ayla — ela virou-se bruscamente na direção do borrão que ele se tornara.

As bochechas dele ficaram vermelhas pelo simples fato de receber a liberdade de chamá-la pelo primeiro nome. Qualquer um que passasse por aquela entrada poderia notar o acanhamento do rapaz, tido como o mais maduro da turma, simplesmente por ter uma feição mais séria. Uma mudança que quase tirou de sua personalidade aquelas brincadeiras que ele gostava de fazer antes de *tudo aquilo* acontecer, porque era mais fácil esfriar-se e fechar-se do que ouvir toda hora alguém querendo saber o que havia acontecido em sua vida três anos antes.

— Então, se quiser, pode me chamar de Hyuk — disse, temerosamente.

Ela parecia mais nova e, naquela cultura, essa liberdade não era uma atitude vista como apropriada, a não ser em casos de muita proximidade. A ordem das nomenclaturas também era diferenciada, o sobrenome primeiro e o nome próprio vindo depois.

— E estou aqui para ajudar no que puder. Porque acho que você quebrou seus óculos por minha causa... — ele esticou a mão para coçar a nuca, numa visível pose de constrangimento.

Era uma cena icônica: os dois parados no meio da entrada triangular do prédio, rodeados por flores silvestres despontando entre o verde da grama e das árvores que preenchiam o campus. O barulho dos alunos andando ao redor foi a única coisa ouvida durante alguns segundos de embaraço.

— *Sua* causa? Eu é que saí da sala toda... — Ayla suspirou. — Me perdoe por ter chamado você de maluco. Agora eu só queria que você me mostrasse em que direção fica o ponto de ônibus que leva aos dormitórios.

Ela segurou ainda mais firme os pertences contra o peito, mirando-o, não sabendo que parte do corpo dele encarava. Tudo que podia notar à sua volta eram manchas esverdeadas e objetos grandes em movimento.

— Ei, Joon! — uma voz bradou detrás do rapaz. — A nossa equipe vai falar agora! Já que por causa *dessa aí* perdemos tempo de apresentação! — Ji Hoon exclamou ao descer os degraus da fachada rústica.

— É melhor você ir! Não quero que mais alguém fique com nota baixa por um erro meu — Ayla disse ao abaixar os olhos e focar o chão. O peso voltava a seu peito. — Hoon, é melhor você seguir o seu caminho, okay? — Semicerrou os olhos e deu uma daquelas suas encaradas sérias para o outro rapaz.

Ji Hoon entendeu que seria mais sensato andar rumo ao carro, onde pegaria seu uniforme de chef no porta-malas, porque não sabia muito sobre Hyuk e não queria provocar o colega para descobrir do que ele seria capaz.

— Sinto muito por você ficar na equipe da Chae Nabi. — Hyuk recordou que, no momento de divisão das equipes, viu o professor Jung empurrando Ayla para aquele grupo, enquanto ficou apenas torcendo para que a deixassem livre. — Como sou culpado por não ter convidado você para minha equipe, vamos fazer assim: você me conta onde mora, pegamos seus óculos reservas e depois falamos com o professor.

Ayla questionou-se como poderia ter se esquecido do tom de voz de Joon Hyuk. Talvez fosse porque ele sussurrou na única vez em que conversaram, além de que ela se concentrou mais em seus olhos sinceros e lábios finos em vez de tratar de decorar seu timbre. Entretanto, apesar de todo seu esquecimento, pegou-se gostando de como ele falava. Era como sentir-se abraçada. Um consolo necessário em um lugar onde não se sentia adequada, querendo ir embora a qualquer momento, ainda que dissesse todo dia a si mesma que aquele era um processo pelo qual precisava passar. Tinha de vivenciá-lo em vez de fugir para Társis, como fez o profeta Jonas.

Afinal, quem ela seria se desistisse de seus objetivos na primeira dificuldade? Deus mandaria alguma tempestade para fazê-la ser arremessada ao mar e engolida por um grande peixe? Teria de acreditar que pelo menos mais forte se tornaria, porque havia ali um processo de poda e amadurecimento. Alguns galhos precisavam ser cortados para frutificar algum dia. Porém, como ela iria florescer quando não se permitia sequer ser regada pela chuva? Uma vez leu no salmo 126 que, para colher com riso, é preciso regar com lágrimas. Não poderia desistir no meio do caminho.

— Ou você quer voltar para lá e mostrar do que é capaz? — Aqueles dois convites súbitos de Joon Hyuk deixaram-na assustada.

— Não sei se você percebeu, mas eu estava chorando há uns três minutos por causa do que aconteceu lá dentro. Como quer que eu volte agora? E ainda sem enxergar nada? — Deixou o medo falar mais alto outra vez.

— Ayla... — Tocou no ombro dela do jeito reconfortante que fizera havia pouco, levando-a a mirar o borrão mais lindo que tinha visto na vida.

Ele continuou:

— Não faço ideia do que você precisou passar para chegar até aqui, ou das lutas que precisa enfrentar todos os dias por simplesmente ser quem é, mas de uma coisa tenho certeza: você é mais capaz do que imagina! Se está aqui, é porque fez tudo que estava ao seu alcance. E, no fundo, algo me diz que você não quer parar. Talvez só esteja com receio do que vão dizer a seu respeito. Mas, e se você não tentar? O que poderá dizer a si mesma depois?

A garota desejou gravar aquele discurso e colocá-lo para tocar em sua playlist favorita. Não fazia ideia de como alguém que mal a conhecia poderia ser tão empático e lhe dirigir exatamente as palavras que ela estava precisando ouvir naquele momento. Certamente os coreanos não eram exatamente como nos k-dramas.

Na verdade, nenhum deveria ser, porque eram pessoas reais e não personagens. Aquele ali, porém, deveria ganhar um prêmio por pelo menos tentar convencê-la do contrário.

Ainda assim, e se ele na verdade fosse um criminoso procurado pela Interpol e tentasse sequestrá-la depois? Bem, por enquanto, estava tudo dentro da lei e dos conformes. Talvez fosse apenas um cara legal, e não um assassino em série. Quem ele era de fato se tornou um mistério que não estava em seu poder descobrir. Pelo menos não àquela altura. Apenas acreditava que a mão de Deus poderia estar envolvida em cada coincidência. Em vez de ser um laço do passarinheiro ou uma peste perniciosa, ele poderia ser só um lírio do campo, não é mesmo?

E o que dizer sobre a proposta de Joon Hyuk, o *suposto-criminoso-procurado-pela-Interpol*? Era quase como se ouvisse o próprio pai, Abner Vasconcellos, um homem tão cheio de fé, dizendo-lhe que ela não era definida por suas quedas, mas que sempre foi um passarinho destinado a voos mais altos. Só precisava se permitir correr para longe dos medos e de tudo que tentava limitá-la, deixando seus pés saírem do chão e batendo as asas dentro das forças que havia recebido de seu Criador. Pois, se houvesse uma linha entre o suportável e o insuportável, o céu saberia e não deixaria que ela voasse a alturas cujo poder suas asas frágeis não seriam capazes de enfrentar.

Quando era muito doloroso estar longe de casa, sentia falta de brincar com seu irmão, que completaria quatro anos. Sim, ela perderia aquela fase do crescimento de Lukas e não poderia ajudar a mãe a tomar conta dele. Doía também temer receber a mesma ligação que assustava os pensamentos mais secretos de Joon Hyuk: "Você acabou de perder mais alguém...", porque os avós paternos já estavam tão velhinhos, e os avós maternos perdera havia anos. Como se ela pudesse ter o controle de qualquer situação. Ainda tinha o peso que sentia por Ana destinar praticamente toda a pensão pós-morte de Abner para as despesas da filha na Coreia do Sul.

Contudo, ainda que ela estivesse vivendo no Brasil, fazendo de tudo para não cometer erros e ajudando a família, seus medos não acrescentariam um só segundo à sua existência. Jesus disse que as preocupações não podem ajudar em nada. E ela não tinha culpa por estar correndo atrás de um sonho e ainda se permitindo receber a ajuda de um colega de classe. Ela era humana e estava vivendo. Era só isso.

— Mas é que tenho alta miopia desde pequena, sabe? Com o passar dos anos, progrediu para um problema mais sério a ponto de eu precisar passar por uma cirurgia, senão eu ficaria completamente cega. Isso sempre fez de minha vida um turbilhão. Não consigo ver as coisas direito com o canto dos olhos, e tudo piora quando a iluminação é fraca, e isso mesmo usando óculos, imagina sem eles! Acabou que toda essa situação me deixou com... — suspirou — ... visão subnormal, e também desenvolvi fobia social na infância. Sempre fico apavorada quando preciso falar em público!

— Ayla, não quero forçá-la a nada, mas e se você disser a si mesma que é maior que tudo isso? Acha que pode tentar só mais esta vez? — Outra proposta que ela não esperava encontrar, pois acabava apenas desistindo em vez de recomeçar.

— Não quero parecer uma pessoa dependente, mas, se você for lá comigo, acho que com o mínimo de apoio eu posso tentar... — O seu medo agora era de se arrepender do pedido que acabara de sussurrar de cabeça baixa.

— Se é o mínimo de apoio de que precisa, garanto que vou entrar na fornalha ardente com você, mesmo se ela for aquecida sete vezes mais! — anunciou com um sorrisinho torto, que ela enfartaria se tivesse visto.

7
As mãos ásperas mais cuidadosas que existem

— Você é maluco mesmo e eu não fiquei sabendo? — Ayla exclamou ao rir das palavras de Hyuk, permitindo-se iludir um pouquinho ao se perguntar de onde ele conhecia uma expressão *tão crente* quanto aquela. Seria Joon Hyuk um filho do Deus vivo?

— Vou entender isso como um sim! E como acho que toda boa apresentação de Antropologia começa com uma história, que tal contar o que trouxe você para a Coreia do Sul, para ingressar na primeira turma de Artes Culinárias da Universidade Yeon? — Sua mão calejada continuava sobre o ombro da garota.

Qualquer um que os visse imaginaria que formavam um daqueles casais que produzem conteúdo na internet falando das diferenças culturais entre eles. Algo que deixaria Ana Vasconcellos emocionada, acreditando que sua filha venceu na *vida-de-solteira-desde-que-nasceu* por causa de seu próprio *vivendo-um-k-drama-cristão*.

— Posso levar você até lá? — Estranhamente, Hyuk pediu permissão para tocá-la desta vez.

Ayla não protestou mais. Assentiu, enquanto suas bochechas enrubesciam. Ao deixar que aquele coreano de índole duvidosa segurasse sua mão direita novamente, uma sensação nova a encheu de conforto e de uma paz que havia tempos não pousava em seu coração acelerado. Quando puseram os pés na imensa sala de aula, a equipe de Joon Hyuk descia do palco. Ele apenas fez um sinal com a cabeça em direção ao professor Jung.

— Eu nem vou conseguir ler o slide e nenhuma das minhas anotações — Ayla exprimiu, os lábios quase cerrados.

— Não seja por isso, senhorita! — Desgrudou seus dedos. — Talvez não ajude muito... — pegou seus óculos de aros pretos arredondados — ... mas acho que vai ajudar você a se sentir mais confortável. Eu sei que quando somos muito dependentes de algo, como de um par de óculos, quando estamos sem eles sentimos que falta alguma parte de nosso corpo.

Colocou sobre a face de Ayla as lentes de um grau bem reduzido se comparado ao dela. Em seguida, segurou seu antebraço e a guiou até os degraus no canto do tablado. Então, tendo-a deixado ali, distanciou-se. Ao se ver livre dele, sentiu falta do calor que emanava do rapaz. Agora segurava livros amassados, óculos quebrados e um celular com o visor rachado. Usava um par de lentes que não a ajudava em nada, mas estranhamente fez que se sentisse menos deslocada.

Seus bens mais preciosos, contudo, não estavam junto ao peito, e sim dentro dele. Poderia dizer que seu valor excedia qualquer coisa, porque o Deus que a criou disse que ela era importante e tinha um papel especial a desempenhar neste mundo, mesmo nos dias em que tudo se tornava um borrão cinzento no horizonte de sua visão limitada.

— Eu sei que gelei agora há pouco, acabei não conseguindo dizer nada do que me preparei tanto para explicar, mas queria saber se...

— Senhorita, eu adoraria ouvir o que tem a dizer, mas o laboratório está reservado e precisamos ir até lá para fazer a atividade prática, pois o horário das apresentações teóricas se encerrou

— foi o que disse o professor Jung, fazendo os alunos se levantarem de seus assentos.

— Senhor, não... — Quando Joon Hyuk tentaria mais uma de suas propostas, o professor estendeu a mão na direção do jovem e o cortou no mesmo instante ao continuar falando com Ayla.

— Se você estiver disposta a dizer o que gostaria lá na cozinha, eu asseguro que a ouviremos atentamente.

— Professor... — A voz da garota tremeu e ela sentiu que uma enxurrada de lágrimas poderia cair a qualquer momento. — É que... — Tomou ar. — Os meus óculos quebraram e estes que estou usando não servem para nada! Quer dizer... — Puxou o ar outra vez. — Eles me ajudam mais na...

— Não tem problema — o professor sacudiu o braço e não escondeu o riso zombeteiro. — O mesmo rapaz que pegou em sua mão e a levou até aí vai ser a sua dupla hoje. Como vocês dois não se apresentaram, será a chance de recuperarem a nota. Então, vamos para a cozinha?

Entre ficar e fugir, Ayla Vasconcellos queria poder cavar um buraco no chão e se enfiar dentro dele. Quem sabe aquela historinha que ouviu quando criança fosse verdadeira: se cavasse bastante conseguiria atravessar o mundo e ir parar lá na China. Que os missionários fundadores da Universidade Yeon a perdoassem, mas, naquela hora, tudo que ela queria era poder perfurar o chão daquele laboratório, escavar a crosta terrestre e voltar desesperadamente para o Brasil, fingindo que tudo não havia passado de um delírio coletivo! Afinal, onde já se viu alguém como ela ser desafiada a cozinhar quando seus óculos estavam aos pedaços e seu emocional, igualmente destruído?

— Professor Jung, eu posso ir buscar o par de óculos reserva que está guardado no dormitório dela! Eu volto em menos de quinze minutos! E pode tirar esse tempo da minha prova prática, não tem problema — Joon Hyuk tentou argumentar diante do docente cheio de autoridade e elegância em seu uniforme de chef.

— Você levaria pelo menos meia hora para fazer todo esse percurso, rapaz. O laboratório está reservado para usarmos apenas durante duas horas. E vocês ainda têm de dar um jeito nas louças sujas antes de saírem!

Hyuk ficou com a boca escancarada, sem emitir som, e o professor balançou a cabeça negativamente para dizer que não havia opção a não ser aceitar sua proposta.

— Eu vou tentar! — Ayla finalmente disse algo, e deu um passo com as mãos trêmulas unidas na frente do corpo.

— Está ouvindo isso, rapaz? A moça disse que vai tentar! Então, vamos logo com isso. Ande para sua bancada! — O professor praticamente enxotou Hyuk ao dar pequenos empurrões em suas costas e fazê-lo andar até sua dupla.

Ao som dos murmúrios de seus colegas, que comentavam sobre suas atitudes atípicas, Hyuk saiu andando de cabeça baixa. No percurso até o móvel de aço inoxidável, sendo o primeiro na fileira da frente, segurou suavemente no pulso de Ayla e a conduziu para trás da bancada.

— Você tem certeza disso? — perguntou, com a esperança de que ela diria que queria sair correndo dali, porque era a única vontade que ele próprio sentia no momento.

Ayla Vasconcellos se atreveu a sorrir e, corajosamente, se soltou do aperto do rapaz para poder tomar a iniciativa de envolver seus dedos em volta de sua mão áspera, que parecia pertencer a alguém que havia trabalhado pesado na vida. Forçou a vista para olhar as mãos dos dois ainda seguras uma na outra e gostou do borrão bege que enxergou deles unidos, como se não fossem mais estranhos, embora tivessem se esbarrado havia poucos minutos.

— Certeza é uma palavra um tanto grandiosa para a confusão que está na minha mente agora, mas eu tenho a leve intuição de que você estava certo quando me disse que há coisas que precisamos encarar, porque elas não são maiores que nós. E acho que cozinhar sem meus óculos após ter tido uma crise de ansiedade e arriscar tirar um zero em minha primeira prova prática... — puxou o ar para recuperar o fôlego e levantou o queixo para tentar encará-lo — ... é uma coisa que estou lutando para dizer a mim mesma que não é maior do que eu, embora essa loucura toda esteja tentando me engolir!

Hyuk a ouviu atentamente e mal piscou ao olhá-la. Aquele discurso tão honesto o deixou maravilhado por outro motivo. Dava para ver sua cara de bobalhão a quilômetros de distância.

— O seu coreano é... — suspirou ao retribuir o sorriso timidamente e sentir uma paz invadi-lo, porque ela apertou sua mão de volta ao invés de soltá-lo. — Praticamente perfeito. De onde você é mesmo, senhorita?

— Isso é tudo que tem a me dizer? — Ela riu ao mirar a fisionomia disforme do garoto à sua frente.

— Talvez porque eu seja péssimo com as palavras e numa situação dessas eu sei menos ainda o que dizer! — A forma como ela ria lhe deu uma dose extra de ânimo.

— Vocês por acaso vão cozinhar de mãos dadas, meus queridos? — questionou o professor Jung alto e bom som ao cruzar os braços. Ele era o único usando o uniforme de chef naquele momento.

Nem foi preciso falar o nome de Ayla e Hyuk. No mesmo segundo, eles se soltaram e aumentaram os burburinhos no fundo do extenso laboratório revestido de azulejos brancos, com lâmpadas embutidas que também emitiam uma forte luz branca. As antigas janelas de madeira estavam vedadas com vidro para evitar contaminação nos alimentos, e pouco permitiam que a claridade da primavera adentrasse o ambiente.

— Eles estão mesmo namorando? *Ommo!* — uma garota disse, incrédula, ao cobrir a boca.

Aquele comentário deixou Ayla com o rosto queimando, e a face de seu companheiro de bancada não estava muito melhor. A vergonha foi tanta que desejaram ser sugados pela coifa, uma espécie de purificador de ar que absorve a gordura e os vapores que sobem dos alimentos cozidos, e que ficava suspensa sobre os fogões industriais alocados ao lado das bancadas e das pias usadas pelos grupos dispersos pela sala. Até as estantes, as geladeiras e os fornos eram todos cinzentos por causa do aço inoxidável de que foram feitos. O único toque de cor era uma parede pintada de azul no fundo da sala.

— Posso começar, não é, meus queridos? — perguntou o impaciente professor, que deu uma última encarada para uma das fofoqueiras da turma e fingiu uma tosse para coçar a garganta.

Por fim, anunciou:

— A prova de hoje será a seguinte. Imaginem que estão terminando seu expediente em uma confeitaria em Itaewon. Já são mais de onze da noite, e vocês guardaram o uniforme numa sacola para levar à lavanderia, mas do nada uma mulher usando um casaco de oncinha entra pela porta do estabelecimento e diz que quer encomendar uma dúzia de biscoitos dasik para a manhã seguinte, a fim de comemorar os quinze anos de seu casamento. E um detalhe importante: ela diz que pagará a vocês o valor que for pedido, não importa quanto seja!

Uma coisa interessante sobre o professor Jung: ele gostava de *role-playing* e de fazer que seus alunos se imaginassem cozinhando com senso de extrema urgência em situações nada corriqueiras.

— Vocês têm cinco minutos para colocar o uniforme e não vale ir ao banheiro, tem de ser aqui mesmo! Deem o jeito de vocês. É só jogar por cima da roupa que estão usando. Eu mesmo já passei por isso várias vezes quando fiz o doutorado em Paris. E, assim que se vestirem, podem começar a preparar os biscoitos para essa senhora tão apaixonada por seu marido — disse com um riso estampado na cara.

Não havia mais burburinhos ou murmúrios de fofocas; agora, gritaria e desespero incendiavam aquela turma. Cada aluno correu em busca de seus pertences, guardados em uma estante no fundo da sala. Tendo pegado as mochilas, foram retirando o kit completo do uniforme e ficaram se perguntando qual peça vestiriam primeiro. Ayla e Hyuk, sem surpreender ninguém, foram os que mais demoraram a reagir.

— Fique aqui que vou lá pegar suas coisas, está bem? Não se mova daí, por favor! Senão alguém pode derrubá-la caso tente ir sozinha. — O pedido de Hyuk trouxe de volta o rubor às bochechas morenas da garota.

Ela nem se mexeu. Obedientemente, ficou parada em seu lugar, apoiada na bancada e respirando fundo para acalmar seu coração acelerado. Mantinha a cabeça baixa entre os antebraços, e algumas mechas soltas caiam em sua testa. Todos aqueles sons, misturados com a visão totalmente turva, deixaram-na enjoada. Nunca havia ficado sem óculos por tanto tempo em um estado tão caótico, que ironicamente lhe transmitia também a sensação de cuidado e atenção, tão desacostumada a ter alguém que se importasse com ela naquele país distante.

Ter aquele rapaz de voz aveludada lhe dando um apoio tão inesperado era como encontrar um tesouro em um local inesperado. Na Coreia, ela só se sentia acolhida quando se permitia ser vulnerável em seu lugar secreto de oração e derramar sua alma diante de Deus. O pensamento de que estava tão longe da terra natal a assaltou novamente, e a saudade a invadiu.

Todavia, essa saudade não a fez sentir-se culpada ou assustada. Era mais a ideia de que *lar* diz respeito ao sentimento de pertencimento dentro de si, e tudo que ela queria na vida era saber que poderia ser cuidada sem ser menosprezada, ou ser valorizada sem ser tida como vítima porque tinha uma limitação. E, estranhamente, ela pôde ouvir em seus tímpanos que nem tudo estava perdido para alguém tão fora dos padrões quanto ela. Tudo que precisava era saber esperar.

— Aqui está! — Aquela voz de veludo retornou e fez os pelos de seus braços se arrepiarem. — Quer ajuda com isso? Ou acha que consegue se vestir sozinha?

Por que a cada pergunta cuidadosa de Hyuk um turbilhão de emoções despertava dentro dela? Por que algo tão pequeno era sentido como um afeto avassalador? Não poderia ser apenas uma mera atitude educada da parte dele? Por que a carência dela via algo a mais quando seus olhos naturais não poderiam enxergar, literalmente, coisa alguma?

— E-eu acho que consigo! — gaguejou ao estender os braços e sentir que ele havia depositado tecidos sobre eles.

Ele nem parecia o mesmo garoto com quem ela havia brigado minutos antes, quando o esbarrão de ambos quebrou seus óculos caríssimos. Será que tinham progredido de inimigos para bons colegas de classe tão rapidamente?

— Eu só vou jogar tudo isso em cima da minha roupa, mas se precisar de algo posso ajudar. Vou deixar seus sapatos bem aqui! — Ouviu o barulho do solado de borracha do Soft Works branco encontrando o piso.

Sua sorte era que estava usando um vestido leve, de modo que só colocou por cima dele a calça xadrez preta e branca bastante folgada. Depois passou os braços nas mangas compridas do dólmã e fez um rápido coque baixo prendendo os cabelos com o elástico preto que sempre levava no pulso. Por fim, retirou a boina azul-claro, colocando-a no chão abaixo da bancada, e cobriu a cabeça com outra touca. Quando ia fechar aquela série de botões de seu uniforme, viu uma aparição extremamente próxima de seu corpo. Aquele perfume de lavanda o denunciava.

— Permita-me ajudá-la com isso. — O rapaz nem esperou a resposta: suas mãos ásperas foram na direção da vestimenta da garota para fechá-la.

— O que você está fazendo? — ela ainda quis saber o óbvio e fingiu uma leve irritação com a ousadia dele.

— Você lembra que só tínhamos cinco minutos, senhorita Baz...?

— Meu sobrenome é *Vas-con-ce-llos*! — soletrou cada sílaba para o jovem. — E eu já disse que pode me chamar pelo nome.

Manteve os olhos presos nos dele, porque estava tão próximo que sentia que poderia vê-lo quase como se não fosse um completo borrão. Queria poder vislumbrar os sinais pretinhos e minúsculos que formavam constelações em seu rosto. Um no queixo, outro na ponta do nariz, e parecia haver mais um na testa. Talvez fosse apenas a imaginação ajudando-a a recriá-lo em sua mente.

— Daqui para a frente vou chamá-la de "senhorita Baz" quando do estivermos nas aulas. — Dito isso, seus dedos rapidamente chegaram aos últimos botões do dólmã. — Por favor, tenha cuidado para não se machucar durante o preparo dos biscoitos! Eu já os fiz com a minha avó... — nessa hora a voz dele falhou — ... e posso cuidar de algumas coisas, como a água quente e o triturador, porque me sentiria péssimo se alguma coisa acontecesse com você. Já bastam os óculos que quebrei!

— Você não... — E nada mais pôde dizer, ele ficou perto demais.

Hyuk pegou o avental branco e o estendeu diante dela, que instintivamente abriu os braços. Ele o passou pela cintura da garota e, com milímetros os separando, a cabeça dela na altura de seu peito, o queixo dele roçando em sua touca, quase a abraçou ao amarrar as duas alças da vestimenta nas costas de Ayla. O pescoço dele nesse momento denunciou que engoliu em seco e, antes de se afastar, olhou para baixo e a mirou.

Os cílios tão curvados, as pequenas cicatrizes nos olhos castanhos, um filete de suor descendo pelo nariz e os lábios vermelhos entreabertos, deixando passar uma respiração acelerada pelo nervosismo de senti-lo tão perto. Nenhum dos dois sabia o que estava fazendo. Sentiam apenas que aquele momento lhes pertencia. Somente a eles. Como se o resto do mundo tivesse desaparecido.

Mal haviam se falado antes disso, e ela não tinha lhe devolvido o guarda-chuva azul. Sequer sabia que pertencia a ele, na verdade. Além de serem de países opostos, mas isso não importava. Ela não se parecia com as outras estrangeiras que conheceu naquele campus, do tipo que quer viver um *romance-de-k-drama-com-um-oppa-coreano*. Era difícil a ideia de ser visto por quem era? Algo que vai além de sua nacionalidade e dos estereótipos criados em volta de seus olhinhos angulares?

Contudo, nunca tinha se sentido tão à mercê das batidas de seu coração quanto naquele instante. Se elas o denunciassem, não teria como se defender. Não sabia nada sobre aquela garota, a não ser que a observava à distância sempre que tinha uma chance. Ela perseguia o mesmo sonho que o dele de viver da culinária? A menina que, sem perceber, chamava-o cada vez mais para perto e ele queria poder fazer alguma coisa para não vê-la chorar outra vez.

— Vocês vão cozinhar abraçadinhos, senhor Joon e senhorita Vasconcellos? — inquiriu o professor Jung ao fingir simpatia em seu tom de voz. — Isso aqui se tornou um reality show e eu não fiquei sabendo? *Aish*! Um quarentão solteiro não tem um único dia de paz!

8
Ele fez tudo que podia e ainda considerou insuficiente

Os dois se afastaram e ficaram em posição de sentido. A coluna ereta, mãos unidas na frente do corpo e o queixo erguido ao mirar o chef em sua extensa bancada cinza, de onde daria as explicações sobre como preparar aquela receita. A sensação de Ayla naquele momento era de que alguma coisa daria muito errado.

E, infelizmente, ela estava certa.

— Já posso começar? Prestem bastante atenção, porque não quero ficar repetindo! — o professor Jung repreendeu a turma.

Antes de mostrar o passo a passo, organizou os próprios ingredientes na bancada e explicou como o dasik era um aperitivo muito apreciado em cerimônias elegantes, como um casamento coreano tradicional, por exemplo. E esses biscoitos tinham um significado especial naquela cultura: quando presenteados a alguém, era como entregar uma carta que desejasse felicidade, prosperidade e até mesmo fertilidade, por isso algumas noivas os viam como indispensáveis em seu grande dia. Ou, como a hipotética senhora do casaco de oncinha, tratava-se de um símbolo da durabilidade da união conjugal.

— Como vocês podem ver, a base desta receita são os ingredientes mais naturais possíveis, o que confere leveza ao prato. E é uma herança de nossa cozinha real dos tempos das dinastias Silla e Goryeo. Boa era aquela época em que não existiam tantos conservantes cancerígenos como os que vemos hoje!

O professor torceu o nariz e depois suspirou ao continuar:

— Temos aqui farinha de arroz, mel, omija, ervilhas, sementes de gergelim e pólen de pinheiro — apontou para cada um dos elementos. — Geralmente, o dasik tem quatro cores: rosa, verde, preto e amarelo, dependendo da mistura utilizada. Por exemplo, o biscoito fica esverdeado quando misturamos a massa de farinha e o mel com o pó de ervilhas. Entenderam?

Os alunos, atentos como nunca, falaram em uníssono "Sim, chef!", e a pobre Ayla, que nada conseguia enxergar, começou a lacrimejar de tanto que forçou a vista para mirar a figura disforme do professor a poucos metros de distância de sua bancada. Hyuk poderia estar até prestando atenção nele, mas também não conseguia tirar os cantos dos olhos de cima da brasileira e notar o esforço deixando linhas franzidas em sua testa.

— O que dará esse formato circular aos biscoitos, e ainda deixará a superfície de cada um deles com esses desenhos, é este utensílio aqui, o dasikpan.

Pegou um molde de madeira comprido de uns trinta centímetros de comprimento e não mais que dez de largura. Era um clássico utensílio coreano, e Ayla suspirou ao lamentar em seu coração não poder enxergá-lo.

— Como podem notar, ele é dividido em duas partes: nesta placa superior vocês irão depositar a massa depois de pronta e com esta outra parte aqui vão pressioná-la para que os desenhos fiquem gravados. Parece um carimbo gigante, percebem? É uma receita tão simples que nem deveria valer nota inteira, era melhor só metade, não acham? — brincou, o que fez alguns alunos rirem de nervoso. — Só tenham cuidado na hora de desenformar para que eles não se quebrem e vocês percam pontos, porque irei avaliar o quanto conseguem trabalhar com receitas que demandam delicadeza e atenção.

Outra vez eles emitiram um "Sim, chef!", que era como tratavam o professor Jung naquele laboratório, o que o fazia se sentir um apresentador de programas com competição de culinária, estilo *MasterChef*. Era o sonho dele participar de um? Claro! Mas confessava isso para seus alunos? Não mesmo! O que ele fazia era se fingir de crítico e dizer que tais programas eram apenas uma busca por popularidade.

— Vamos agora às medidas de cada ingrediente e o modo de preparo. Só não se prendam tanto à balança, está certo? Acreditem no *feeling* de vocês!

Dito isso, teve início um tintilar de bacias metálicas e panelas, além do ruído de sacos de farinha de arroz sendo abertos. Os mesmos ingredientes estavam postos sobre a mesa de cada grupo. Os alunos se organizaram em grupos de quatro e cinco pessoas, a única dupla era Ayla e Hyuk. Era notória a competição entre as equipes. Não bastava dar tudo de si naquela avaliação — eles queriam receber as maiores notas. Uma vontade que nem passava pela mente de Ayla naquele momento. Tudo que desejava era poder terminar aquela prova e ir correndo para seu dormitório a fim de chorar em posição fetal, enquanto ouviria suas músicas tristes no volume máximo.

— Pode ir misturando a farinha de arroz com a água fria, senhorita Baz? — Hyuk pegou a mão da menina e depositou sobre ela uma tigela. — E despeje aos poucos para misturarmos depois com a calda de mel que estou preparando. Vou deixar a panela fervendo com a água que usaremos para cozinhar a massa de farinha no vapor, o que leva alguns minutos, e eu posso ficar de olho também.

— Você quer que eu faça só isso e deixe o resto do trabalho para você? — ela mal conseguia esconder sua frustração. — É cada coisa que eu escuto por aqui! Pegue seus óculos. — Estava com o rosto queimando de vergonha ao retirá-los. — O senhor trabalhador precisa deles mais do que eu!

Hyuk ignorou o humor ácido da menina, mas de fato sentiu um tremendo alívio ao ter suas lentes de volta. Agradeceu aos céus por poder recuperá-las sem precisar pedir todo sem jeito, porque também não enxergava bem sem os óculos.

— Se a sua preocupação é ter alguma coisa para fazer, logo terá bastante serviço para dar conta, senhorita! Deixe a calda de mel ficar pronta enquanto eu trituro as sementes e a omija. Aí você vai poder misturá-las com a massa até deixá-las coloridas e colocá-las no dasikpan. É pouco ou quer mais? — Havia um riso em seu tom de voz irônico.

A garota somente deu de ombros, mas não pôde esconder o sorrisinho no canto de sua boca de lábios tão vermelhos quanto a omija, uma frutinha parecida com amora, mas de gosto peculiar que continha ao mesmo tempo os sabores doce, salgado, azedo, picante e amargo. Enquanto o rapaz ouvia ao longe a explicação do professor Jung, ligou o fogão para pôr a água para esquentar ao lado da panela onde cozinhava o mel.

Hyuk mexia seu conteúdo delicadamente com uma espátula branca, mas tudo que queria era pegar nas mãos de Ayla e ajudá-la a encontrar o copo com água que havia deixado bem diante dela para que assim molhasse a farinha. Sabia que a jovem gostava de ser independente e que estava certa ao trilhar os próprios caminhos sem depender tanto dos outros, mas acreditava que ela não deveria se privar de receber apoio quando necessitasse.

No fundo, era um erro que ele também cometia quando se fechava em suas feridas e não deixava os outros cuidarem do que lhe doía, apesar dos anos que se passaram desde a quebra do vaso frágil que era seu coração.

— A calda já está pronta e vou procurar o processador para triturar as ervilhas, assim começamos a fazer os biscoitos verdinhos. O que acha? — Ele desligou o fogo da panela em que estava a calda e deixou acesa a boca que esquentava a água. — Não se aproxime do fogão, ouviu, senhorita Baz? — sussurrou ao se distanciar.

— Eu volto em um segundo, mas pode me chamar caso precise de mim antes! — disse já caminhando para o fundo da sala.

— O quê? Fogão? — questionou, ao estreitar as sobrancelhas.

Tão distraída ao tatear a bancada em busca da água e do saco de farinha, Ayla não prestou atenção no que o rapaz dizia em tom de voz baixo. Uma distração que se somava ao barulho que a turma fazia em meio aos comandos do professor Jung. Totalmente inebriada, também, com os aromas açucarados que preenchiam cada canto do recinto.

Para completar, lembrou-se de *A culpa é das estrelas*, o livro que sua psicóloga lhe havia recomendado, após ela voltar à terapia a fim de lidar com o luto pela perda de seu pai. Nele havia aprendido que alguns infinitos são maiores que os outros, mas, naquele momento em que achou erroneamente que Hyuk lhe pediu para ver alguma panela que estava acesa no fogo, entendeu que alguns desastres também são maiores que outros.

Quando Ayla identificou a superfície quente e espremeu os olhos em busca de alguma coisa cinzenta, a quentura sinalizou que estava no rumo certo. No entanto, quando achou ter conseguido visualizar o cabo da panela de inox, errou o cálculo que fez com a visão embaçada, resultando no recipiente virado em sua direção e um verdadeiro banho de água quente entornado sobre seu antebraço direito. O líquido fervia em uma temperatura alta o suficiente para lhe causar tremenda dor no mesmo instante. A vermelhidão logo dominou sua pele.

— *Meu Jesus!* — Ayla exclamou em português, tocando o braço queimado com a mão esquerda que tremia.

O barulho maior foi da panela se espatifando no chão. Todos pararam o que estavam fazendo para procurar de onde vinha aquele som. A menina enlaçou os dedos trêmulos em volta do antebraço machucado.

— Ora, ora, o que aconteceu? Já estão derrubando as coisas? Mal começamos! — o professor disse em tom zombeteiro, sem ideia do que estava acontecendo.

— Chef, acho que ela se queimou feio! — uma aluna, numa bancada ao lado da dela, apontou para Ayla. A coreana havia assistido a toda a cena, mas permaneceu em choque, parada em seu lugar.

— *O quê?* — Jung teve um solavanco e botou as mãos sobre o peito, procurando a pessoa para quem a menina apontava. — Senhorita Vasconcellos!

Hyuk estava parado ao lado de uma prateleira e olhou para a frente da sala, de onde viera o estrondo da panela. Ouviu a voz de seu professor pronunciando com dificuldade o sobrenome de sua dupla e avistou o vulto do homem correndo em direção a ela. Sua reação foi arregalar os olhos, largar o processador na estante e correr em direção à brasileira, que se contorcia de dor.

De modo ousado, empurrou o professor de cima dela e envolveu um braço na cintura da moça para sustentá-la, o que deixou seus corpos próximos mais uma vez.

— Você se machucou? *Ommo!* — Nervoso como estava, ligou a torneira e colocou a região ferida com todo cuidado embaixo da água fria. — Dói muito? — Encarou-a diretamente e viu as lágrimas se acumulando no semblante de Ayla quando ela assentiu com a cabeça.

— M-me desculpe, eu só... — Fechou os olhos assustados e respirou fundo. — Aqui tem aquelas caixinhas de primeiros-socorros com pomada para queimadura?

— Ayla, olhe para mim! — disse, já não se importando com a forma de chamá-la. — Até temos um kit de primeiros-socorros, mas não posso deixar que só passe uma pomada! Seu caso é mais sério, me ouviu? Precisa ir para a enfermaria com urgência! Vamos, eu te levo lá! — Hyuk a segurou ainda mais firme, enquanto a água corrente fazia o primeiro tratamento em casos de queimaduras como aquela.

— Deixe-a lá e volte para fazer sua prova, senhor Joon! Você sabe que não sou de dar terceiras chances para meus alunos não ficarem desacostumados!

Àquela altura, tudo que passava pela cabeça de Joon Hyuk era o quão grave aquela garota havia se machucado. Ele se sentia profundamente culpado. E nada mais parecia importar. Queria vê-la bem, mesmo que tudo que fizesse não parecesse ser bom o suficiente, porque ele não se sentia o bastante. Sempre havia sido assim.

9

Se havia algo que a deixava insegura, era o passado

Ayla Vasconcellos encostou a cabeça no leito da enfermaria e mirou as nuvens no céu azul, uma paisagem quase estática do outro lado das janelas de vidro. Embora a enfermeira tivesse saído por um instante para ir em busca do médico, não estava sozinha na sala. Conforme havia prometido, Hyuk voltou após a prova prática para lhe fazer companhia. O cabelo arrepiado, as mangas do suéter arregaçadas e o suor na testa denunciavam que ele tinha corrido por aí.

— Imaginei que estivesse com fome e trouxe isto para você. Não é a coisa mais substanciosa do mundo... — Deu de ombros e riu do jeito que só ele sabia fazer. — Mas foi o que encontrei mais próximo de um almoço na loja de conveniência.

O garoto lhe estendeu um kimbap, um bolinho de arroz envolto por uma alga crocante, além de uma caixinha de leite com banana, que tinha o logotipo da Yeon bem próximo ao canudo. Ayla ficou com o rosto vermelho, sem saber como reagir. Apenas assentiu com a cabeça e se pôs a comer em silêncio, levantando vez ou outra o rosto para encarar o borrão à sua frente. O que quebrou o silêncio embaraçoso foi a chegada do professor Jung.

O homem, agora também já sem o uniforme, correu para o pronto-socorro ao finalizar a atividade no laboratório. Estava muito nervoso e fez Ayla prometer que se cuidaria bastante nos próximos dias. Ficou se curvando para a brasileira milhares de vezes, enquanto dizia lamentar muito por tê-la feito realizar a avaliação sem seus óculos e que não fazia ideia da gravidade da condição de sua vista. Ou seja, mais um episódio em que a deficiência de Ayla não havia sido compreendida. O tipo de coisa que, infelizmente, ela vivenciava desde pequena.

Enquanto isso, Joon Hyuk se assustava com a forma como o docente se desculpou. Nunca o tinha visto assim, mas o jovem percebeu que não era o único que se culpava pelo que havia acontecido com Ayla. A moça apenas agradeceu toda sem jeito aos dois e disse que já estava melhor. Eles engoliram em seco ao verem a queimadura coberta com gaze e enfaixada com ataduras.

— E pode realizar a prova prática quando se sentir melhor, senhorita! O Joon quase ficou sem nota porque não voltava para a sala e eu tive medo da repercussão que isso teria entre a turma. Mas espero de verdade que a senhorita se recupere! Sei por experiência que as queimaduras de qualquer coisa fervente são as piores.

Inesperadamente, o professor ergueu a manga esquerda de sua camisa listrada e mostrou sua pele repuxada.

— Ganhei esta cicatriz enquanto servia no exército e ajudava em um jantar ao ar livre. Lembro bem que era aniversário de um dos soldados mais novos e ele havia perdido a mãe meses antes de se alistar. Queríamos fazer algo especial para o menino, mas acabou que me assustei com uma cobra que vi passando em cima do meu coturno e derramei o açúcar cristalizado do bolo no braço. E essa é uma dor que nunca consegui esquecer!

— Sinto muito, senhor Jung. Deve ter sido horrível! — Ayla contraiu os lábios e lacrimejou, de tão sensível que estava.

— Também sinto muito, professor! — Hyuk se curvou em sinal de lamento.

— Por isso, não se pressione para realizar a prova ainda nesta semana. Vou pedir ao Dr. Suk que lhe dê três dias de atestado. Aproveite o final de semana e nos vemos na segunda-feira, caso se sinta melhor! — Fez uma reverência antes de sair.

— E como pretende voltar para casa, senhorita Baz? — Hyuk quis saber ao puxar uma cadeira com rodinhas e sentar-se bem ao lado da cama hospitalar.

— Não se preocupe comigo! Eu vou dar um jeito. Você já fez o bastante por hoje. E graças a Deus que me ouviu a tempo e voltou para o laboratório. Eu me sentiria péssima se você tivesse perdido a prova só porque queria ficar aqui comigo!

— Eu é que vou me sentir péssimo se deixar você ir sozinha para o dormitório nessas condições. Na verdade, vou ficar aqui até o médico liberar você!

E assim fez. Hyuk permaneceu ao lado de Ayla, e nesse ínterim pediu para montar o celular dela, que havia se espatifado quando se esbarraram na frente da sala de aula naquela manhã, episódio que parecia ter acontecido havia mil anos. Por sorte, o aparelho não havia queimado; apenas a película rachara, não a tela.

Pouco depois, recebeu alta e uma sacola com medicamentos. O moço colocou a boina azul-claro nos cabelos de Ayla, guardou o uniforme na mochila e colocou a bolsa nas costas dela. Ainda pediu que ela segurasse em seu braço para levá-la até o ponto de ônibus. Andaram juntos nas imediações do campus e em meio às cerejeiras que, balançadas pelo vento, faziam suas pétalas brancas caírem sobre eles como neve.

Ayla achou que acabaria ali a boa vontade de Hyuk, mas ele a surpreendeu ao subir na condução estudantil e sentar-se no mesmo banco que ela, deixando-a ao lado da janela. A ansiedade a dominava quando desceram do veículo e pararam na calçada próxima ao prédio de cinco andares.

— Obrigada por tudo, Joon Hyuk, mas daqui eu assumo! Vou pedir que alguém que trabalha no dormitório me leve até meu apartamento.

Fez uma reverência e se virou na direção do portão de vidro, o braço machucado recolhido junto ao corpo, coberto de bandagens brancas, e o outro estendido ao segurar a sacola com os remédios.

— Posso pedir só mais uma coisa, senhorita? — Hyuk disse ao se aproximar e pegar no antebraço de Ayla, sinalizando que iria conduzi-la até a porta. — Poderia me passar seu número? É que eu *preciso* receber notícias suas. Para saber como está se recuperando e...

— *Meu número?* — ela se assombrou.

Ayla balançou-se até que ele a soltasse. Não deram um único passo rumo à entrada. Tal atitude o fez se encolher, quase parecendo uma criança rejeitada.

— Prometo que não vou ficar mandando milhões de mensagens, mas como talvez eu não vá ver você nos próximos dias, preciso saber se está bem.

Ela desistiu de protestar. Falou em voz alta seu telefone e ele discou no celular. Ligou para ela na mesma hora só para deixar a ligação salva na caixa postal.

— Eu moro um pouco longe daqui, mas caso precise de qualquer coisa, saiba que pode me ligar ou enviar mensagem, está bem? Porque tudo isso é...

— Nada disso é culpa sua, Joon Hyuk! — Ela balançou a cabeça em negativa. — Eu disse que faria a prova sem meus óculos e não ouvi direito quando mencionou o fogão. Achei que tivesse me pedido para mexer a calda ou algo do tipo. Lembra quando eu estava com medo de voltar à sala de aula e você disse que eu deveria tentar apresentar minha parte?

Um riso nervoso despontou nos lábios finos de Ayla Vasconcellos. Ela assoprou uma velinha imaginária e recuperou o fôlego antes de continuar:

— E as coisas acabaram mudando tão rápido! Antes de tudo acontecer, você ainda tentou convencer o professor a me deixar realizar a avaliação em outro momento. Então, você pode ser qualquer coisa, menos o culpado. E se posso lhe pedir algo é que descanse também, certo? — Curvou o tronco em uma meia reverência, deu as costas e puxou uma haste na porta de vidro para abri-la.

Após ficar na recepção longos minutos à espera de que algum funcionário aparecesse e a ajudasse a chegar a seu apartamento, ela não conseguiu segurar as lágrimas ao finalmente entrar em seu quarto. Havia um peso gigantesco em seu peito. Não comeu coisa alguma, apenas tomou os medicamentos receitados para dor. Desligou o despertador do celular e logo se deitou em sua pequena cama, encostando o rosto na parede. Chorou até cair em sono profundo.

Dormiu com fome, porque era mais fácil fugir de seus problemas do que encará-los. Seu maior temor era receber alguma mensagem, não importava de quem fosse, perguntando se ela estava bem. Havia muitos sentimentos angustiantes em seu íntimo, mesmo que não tivesse a ousadia de mencioná-los em voz alta. Pelo menos não até certa madrugada em Daegu, poucos dias depois, em que se permitiu chorar tudo que estava entalado em sua garganta havia meses.

10

Ela mentiu quando disse que estava tudo bem

Não fosse o efeito do analgésico, a mente turbulenta de Ayla Vasconcellos não teria conseguido silenciar seus pensamentos acelerados e ela não teria dormido tão profundamente naquela madrugada de quarta-feira. E, se seu celular não estivesse vibrando tanto a ponto de sonhar que estava no último andar de um prédio enquanto um terremoto assolava a cidade, ela continuaria dormindo tranquilamente como se não tivesse passado a tarde anterior na enfermaria da Universidade Yeon.

— Quem está me ligando uma hora dessas? — murmurou com a voz rouca ao tatear o cobertor em busca do celular.

Ela, que propositalmente havia desligado o despertador antes de se deitar, sabia que só poderia ser uma ligação. Tendo encontrado o aparelho, mirou a tela com sinais de rachadura e forçou a vista o máximo que pôde.

— Como se eu pudesse enxergar o nome da pessoa que está fazendo a chamada... — resmungou ao se virar drasticamente para o lado direito.

De bruços, fez que seu corpo desse um giro ao deslizar nos lençóis, mas acabou escorregando como se os tecidos fossem águas de uma cachoeira. Caiu de barriga no chão tão gelado por esquecer de ligar o aquecimento. O frio foi o bastante para despertá-la num segundo.

— Por que acordar feito uma pessoa normal se eu posso fazer isso, não é mesmo? — Voltou a se queixar ao abraçar o piso frio.

Levantou-se com dificuldade sem soltar o celular e sentindo no braço a dor da queimadura de água quente. Deu dois passos para a frente e bateu a barriga na escrivaninha, sacudindo o que estava sobre ela. Se o anjo da guarda de Ayla pudesse lhe dar algum conselho de amigo, com certeza seria para ela tentar não se machucar mais nem colocar a própria vida em risco. Fechou os olhos e ignorou a vibração constante do celular. Concentrou-se no ambiente à sua volta e se pôs a tatear em busca dos óculos. Enquanto buscava o objeto perdido, empurrou alguma coisa invisível em seu campo de visão e só ouviu o estrondo do treco caindo no chão.

— O Senhor recebe minhas orações se elas forem no sentido de eu me livrar de mim mesma? Por que está difícil ser eu desde... ontem? Ou começou segunda?

Durante seu processo de oração dramática, ela tocou em seu bem de reserva mais precioso. Instintivamente, esticou as perninhas dos óculos e os colocou sobre o rosto exausto, apesar do tanto que havia dormido. As olheiras cinzentas, somadas aos cabelos bagunçados, eram seu maior charme.

— Agora vamos ver quem será essa pessoa desesperada que me liga tanto. — Inclinou-se sobre a mesa e, ao ver o nome na tela do celular, cambaleou para trás, quase caindo de novo. — Por que ele está me ligando a esta hora?

Engoliu em seco e piscou para se acostumar com uma ideia que, de tão absurda, nunca havia lhe passado pela cabeça até o dia anterior. Ter o número de Joon Hyuk entre seus contatos. Quando saiu do Brasil, jamais imaginou que ficaria tão próxima de um rapaz coreano a ponto de ele tomar a iniciativa de pedir seu telefone. É verdade que ele tinha dito que precisava fazê-lo porque queria receber notícias dela, mas lá no fundo ousava pensar que pudesse haver algo mais no pedido dele.

No segundo em que criou coragem para atender, a chamada foi encerrada e caiu na caixa postal. Tremendo, segurou o aparelho e ficou assustada com a enxurrada de ligações perdidas. Havia somente um telefonema dele, o restante era de sua mãe, de Saori, Melinda e até de sua avó. Foi quando ela se lembrou de algo: era uma regra entre elas que toda manhã iriam se falar por chamada de vídeo, porque era o melhor momento para todas as envolvidas, devido à diferença de doze horas no fuso horário.

— Elas vão achar que morri, meu Pai do céu!

Rapidamente acessou o grupo criado para se manterem em contato e enviarem mensagens ao longo do dia. Era muito sugestivo o nome da comunidade formada por aquelas mulheres no aplicativo de mensagens: o ARRUME UM NAMORADO nunca havia visto tantas notificações em seus cinco meses de existência.

— Ou será que aconteceu alguma coisa por lá? — disse Ayla em voz baixa, enquanto digitava rapidamente um monte de interrogações e enviava emojis de carinhas assustadas.

Logo recebeu a solicitação para participar de uma chamada de vídeo. Não eram nem sete horas da manhã, o que significativa que era noite no Brasil. Ou seja, Ayla havia dormido tanto que não avisara nada do que havia acontecido na terça-feira.

Bastou apertar a opção esverdeada na tela para o interrogatório começar:

— Onde você estava, menina? Se você desaparecer outra vez, eu juro que mando a polícia procurar seu rastro! Ou eu pego um avião e vou aí te buscar! — Ana Vasconcellos não estava para brincadeira.

— Boa noite, Brasil! Bom dia, Coreia! — brincou Saori Kim, que também estava na chamada. — A minha querida amiga se desviou e foi para alguma balada em Hongdae, por isso não falou mais nada com a gente desde ontem, é isso?

— Prestem atenção se ela está mesmo no dormitório dela! — disse Melinda, fingindo seriedade. — Ayla, mude a posição da câmera só para nos certificarmos de que está no lugar certo! — Ficou rodando seus dedinhos no pequeno espaço da tela onde estava seu rosto redondo envolto por cabelos loiros.

— Até parece que minha neta faria uma barbaridade dessas! — a dona Nath saiu em defesa da moça. Ayla permanecia parada no meio do quarto sem ter ideia do que fazer. — Você apenas chegou muito cansada da faculdade e dormiu bastante, não foi, querida?

A jovem mirou os semblantes ansiosos, raivosos e preocupados das quatro mulheres que estavam naquela chamada. Resolveu que era melhor usar a estratégia de sempre e tratar tudo do modo mais sarcástico possível.

— Eu ainda não sei pegar nem o metrô para ir à igreja, imagina ir para um distrito tão longe no início da semana por causa de uma balada! — Forçou um sorriso amarelo. — E a vovó mais uma vez é a única sensata dessa família!

— Espere aí, mocinha! — Ana Vasconcellos espremeu os olhos do mesmo modo que a filha costumava fazer e aproximou o rosto da câmera. — Por que você voltou a usar seus óculos antigos? Aconteceu alguma coisa com o novo, que terminei de pagar mês passado?

O riso nervoso de Ayla fez de sua expressão uma verdadeira careta.

— Foi por isso que você sumiu? Por que quebrou o outro? — Saori ficou preocupada de repente.

— Não me diga que você caiu por aí! — Melinda exclamou, boquiaberta. Ela também já tinha testemunhado centenas de tropeços de Ayla.

— Calma, minha gente, deixem a menina se explicar! — novamente a dona Nath interveio.

Quando a moça abriu a boca, nenhuma palavra se fez ouvir. Não sabia por onde começar. O celular vibrou, anunciando outra solicitação de chamada, de voz, o que a fez levar um susto enorme. Quando finalmente disse alguma coisa, foi para expressar pensamentos secretos.

— Por que *ele* me ligou de novo? — questionou-se, contorcendo o rosto em uma careta pior que a outra.

— *Ele?* Como assim *de novo?* Tem um cara ligando para você, Ayla? — Saori indagou ao arregalar seus olhos pequenos o máximo que pôde.

— Minha filha, só Jesus para ser seu advogado e te defender agora, viu? — brincou dona Nath ao desatar em uma gargalhada.

— Amiga, começa pelo começo. É a minha dica! — Melinda claramente zombava da menina, rindo de modo descontrolado.

Ayla recusou a chamada de Joon Hyuk e colocou no rosto seu melhor sorriso.

— Mamãe, está tudo bem com o Lukinhas?

— Seu irmão está ótimo, minha querida, agora você eu já não tenho tanta certeza! Vamos, diga logo o que está acontecendo e se já posso ir à casa da avó da Yarin dizer que você também arrumou um namoradinho coreano!

— Eu tenho de me arrumar para sair e ainda nem tomei café, mas prometo que mais tarde conto tudo a vocês! Não se preocupem comigo, estou bem, só dormi muito cedo ontem. E esse menino é um colega de classe! Ele deve ter ligado porque pedi ajuda para uma prova que irei fazer na próxima semana. *Annyeong!*

A garota acenou para a câmera rapidamente e apertou o botão vermelho para finalizar a ligação. Jogou o celular no colchão, e a mentira deslavada fez que um gosto amargo subisse por sua garganta. Não iria para a universidade porque recebeu um atestado médico, validando seu afastamento por três dias. O desafio seria conseguir cumprir a promessa feita sobre se cuidar.

Ainda assim, sentia-se mesmo uma grande mentirosa. Era como se sua existência fosse o tempo todo uma performance, uma tentativa exaustiva de esconder do mundo suas partes mais cinzentas. Sua principal arma era dizer a quem se importava com ela que não precisava se preocupar. Tão acostumada a esconder o que de pior lhe acontecia desde os tempos da escola, a fuga das perguntas se tornou algo automático para ela. Não queria que chegassem às raízes de seus problemas mais íntimos.

Ao longo de todo o ensino fundamental, havia sofrido bullying por usar um par de óculos que os colegas chamavam de "fundo de garrafa". Logo a apelidaram de "quatro olhos". Tudo que mais desejava era poder se livrar daquelas lentes grossas. Mesmo com elas, porém, não enxergava direito o que a professora escrevia no quadro, embora se sentasse bem diante dele. Naquele tempo, mentiu para seu pai ao dizer que havia saído antes do último horário porque estava com a barriga ruim, quando a dor na verdade vinha de outra parte de seu corpo: o coração machucado pelo desrespeito e pelas zombarias de seus colegas.

Ayla voltou a se deitar na cama, mesmo com o estômago roncando alto, e deixou as lágrimas descerem por suas bochechas morenas. E, um segundo depois, o colchão foi sacudido novamente pela vibração do celular. Achando que fosse sua mãe insistindo para saber de toda aquela história caótica, atendeu a ligação e respondeu de imediato:

— Mãe, mais tarde a gente conversa, tudo bem? Prometo que ligo para você!

Nem quis ler o nome do visor, muito embora sua visão embaçada pelas lágrimas não lhe permitiria mesmo o reconhecimento.

— Não sei o que acabou de dizer, Ayla, mas eu te perdoo, porque sei que está sob efeito de uma infinidade de remédios para dor. — Soltou uma risadinha marota. — E meio que contei à minha mãe o que aconteceu ontem e ela achou que fosse bom você receber uma comidinha caseira para se recuperar logo!

Nessa hora, todos os pelos do braço dela se arrepiaram. Escancarou a boca, de tão assustada com o que ele havia acabado de dizer. Joon Hyuk era, definitivamente, um rapaz surreal e não tinha medo de ser preso pelo crime de ser gentil demais. Se tudo isso era encenação da parte dele, já estava na hora de parar!

— Estou aqui embaixo no seu prédio há um tempão e tenho de ir trabalhar daqui a dez minutos. Você consegue descer? Ou devo arranjar outro jeito de a comida chegar até aí? E queria saber também se quer ajuda para encontrar um lugar que conserte seus óculos quebrados.

— Você quer que eu desça até aí? — Ayla olhou para si mesma e encarou a roupa que estava usando: a mesma do dia anterior.

Nem sequer havia tomado banho. Estava com cheiro de hospital misturado com o de farinha de arroz na roupa amassada.

— É... mas você ainda deve estar cansada. Não se preocupe! Eu posso também dar um jeito de fazer a comida chegar a seu quarto. Vou ver se encontro algum funcionário por aqui, mas acho que você precisaria ligar para a recepção e autorizar que eles levem a entrega. E ainda tem os seus óculos, não é? Não teria mesmo como descer sozinha. Mas deixe isso comigo! Quando eu terminar meu serviço desta manhã, vou até uma ótica aqui perto perguntar se eles podem dar um jeito neles.

A moça fechou os olhos e respirou fundo. Não fazia ideia do que aquele rapaz pretendia, mas sentiu que havia alguma coisa errada, e geralmente ela nunca era enganada por seus instintos aguçados. Talvez fosse um dom que recebeu, ou talvez fosse tão somente sua baixa visão, que a deixou mais esperta — ou mais paranoica.

— Por que você está fazendo tudo isso por mim? Não que eu não seja grata, mas é que...

Suspirou e andou até a janela que ficava na extremidade de seu quarto. Nem espremendo os olhos conseguia vê-lo lá embaixo. Perguntou-se em que ponto da entrada do prédio o rapaz estaria. Puxou uma das cadeiras que ficavam em volta da mesinha redonda, naquilo que denominou como sala de jantar, pois não havia divisão com a cozinha. Os cômodos se dividiam todos no mesmo espaço. Na parte que chamava de quarto ficavam a cama, a escrivaninha, as prateleiras e as estantes para guardar suas coisas. Depois vinha a porta do banheiro e, na outra extremidade, encostada na janela larga, a pequena mesa de madeira com duas cadeiras, seu cantinho preferido de todo o apartamento. Dali podia ter uma vista privilegiada do campus universitário, além das silhuetas das montanhas ao longe. E, ao lado da mesinha, o fogão e a geladeira praticamente grudados na parede, além de um pequeno armário onde ficavam as panelas e talheres. A área de serviço para lavar roupa era compartilhada com os apartamentos de seu andar, em um local fora dos dormitórios.

— O quê? Eu fiz algo de errado?

— É que não entendo, só isso! Parece que a todo o momento, desde o exato segundo que nos esbarramos naquele corredor, você tenta fazer alguma coisa por mim! As pessoas me diziam que os coreanos podem ser um tanto indiferentes e frios, mas você é o completo oposto disso. Fica se importando comigo mais do que muita gente que me conhece a vida toda! Só que isso é... — outro suspiro seguido de um silêncio.

— O que, senhorita Baz? — murmurou ele.

A velocidade com que as palavras saíam da boca de Ayla não media o peso que provocaram em Hyuk:

— Um pouco assustador, sabe? Imagino que não era isso que você queria ouvir, mas é que toda essa sua gentileza está me deixando ansiosa. Porque não sei o que você está querendo ganhar com isso! Eu me sinto confusa também! Não é que eu não esteja gostando disso... de você... quer dizer... — Sua voz falhou... — De te conhecer! Mas não é algo que acontece comigo todo dia. Porque isso é a realidade e não uma novela coreana. Ou você está seguindo algum roteiro e esqueceu de me avisar?

A voz do outro lado da linha sumiu por alguns segundos. Quando enfim retornou, foi para dizer:

— Me desculpe, senhorita... É que sinto muito por ter esbarrado em você e quebrado seus óculos. Depois eu a convenci a voltar à sala, e quando fomos para o laboratório você acabou se queimando, então...

— Isso tudo é para aliviar a culpa que eu disse que você não tem? Por favor, Hyuk, não se esforce para tentar ser *gente boa* comigo só para compensar tudo que aconteceu! Eu fiz as minhas escolhas também, sabia? E elas contribuíram para isso. De qualquer modo, agradeça à sua mãe por mim, mas se aceitar a comida for reforçar sua ideia de que é culpado de algo, é melhor você dá-la para outra pessoa.

A menina agiu do mesmo modo como havia feito pouco antes: apertou o botão vermelho e desligou, a fim de fugir da verdade não dita em voz alta.

11
Fez que ele não se sentisse mais um na multidão

Desde o dia anterior, Joon Hyuk não conseguia esquecer a conversa que tivera ao telefone com Ayla Vasconcellos. E, nas últimas 24 horas, questionou-se milhares de vezes como poderia ter feito tudo diferente. Se não tivesse se oferecido para ajudá-la a encontrar uma ótica, ela teria respondido daquele modo? E se apenas dissesse que a mãe dele mandou a comida e a entregasse na recepção do prédio sem pretensão nenhuma de vê-la? Será que pareceu intrusivo demais?

Hyuk sempre havia sido intenso. Sem saber articular em palavras tudo que sentia, procurava demonstrar isso por meio de pequenos gestos. Desde segurar a mão da pessoa para conduzi-la a algum lugar ou cozinhar para que a comida a animasse. Contudo, não era de agir desse modo com quem mal conhecia. Foram poucas as pessoas que tiveram a surpresa de ser rodeadas por seus toques de gentileza, mas Ayla era mais uma que dizia não o compreender. Não imaginou que se veria nessa situação outra vez.

— Eu sou mesmo um idiota! *Aigoo!* — exclamou enquanto manuseava um soprador de folhas portátil.

Segurava o equipamento preto com detalhes em amarelo, uma espécie de tubo comprido acoplado a um motor arredondado, de onde saía um forte jato de ar que empurrava para um canto as folhas e as flores espalhadas sobre os paralelepípedos das passarelas da universidade.

— Pelo menos vou poder ir para bem longe esfriar a cabeça — tentou se tranquilizar ao lembrar-se do compromisso que havia firmado.

O clima ameno naquela quinta-feira prometia que ele teria uma ótima tarde pela frente. Era a isso que tentava se agarrar enquanto se protegia do sol com um boné preto e uma máscara descartável na mesma tonalidade. Já eram mais de onze horas da manhã e estava no final de seu expediente. Teria praticamente três dias de folga, porque também não trabalharia na cafeteria na noite seguinte, nem no final de semana. Era um descanso merecido, e nada poderia atrapalhar seus planos de tranquilidade. Pelo menos era o que ele pensava.

— Cerejeiras, será que vocês poderiam parar de cair até o momento que eu acabar aqui? Aí, quando eu terminar de limpar todo o pátio e sair correndo, vocês começam a sujar tudo de novo, pode ser? — ele pediu ao sentir um sopro de pétalas voando em todas as direções.

No entanto, não fosse a pressa de terminar o serviço e ir embora, teria gostado de apreciar os últimos momentos da temporada das cerejeiras no campus. Logo elas iriam murchar e deixar as árvores desnudas. Aquele era um espetáculo com prazo de validade. Porém, havia prometido a uma outra pessoa que iria apreciar uma vista parecida com aquela em Daegu. Sua cidade natal também tinha milhares daquelas árvores coloridas, todas quase se despedindo de suas pétalas rosadas e brancas.

— *Oppa*, chegue mais perto! Tão longe assim nem vai dar para me ver na foto! — Uma moça usando salto alto, minissaia quadriculada e uma blusa que deixava um pouco de sua barriga à mostra, falava com um rapaz que segurava um celular.

— Você confia em mim ou não? Me deixe tirar as fotos e depois você vai me agradecer! Eu sei o que estou fazendo, amor!

— O rapaz, vestido elegantemente em camisa polo e calça social, aproximou-se um pouco mais da garota que estava debaixo de uma das cerejeiras mais floridas do jardim.

Como diria o professor Jung, o solteiro não tem um único dia de paz! Para onde quer que Joon Hyuk olhasse, havia duas coisas: árvores coloridas em razão do desabrochar de toda espécie de flores na primavera e um bando de casais aproveitando a ocasião para registrar aquele *momento mágico.*

— Poderíamos agora tirar uma foto nossa, baby? — o jovem pediu ao abaixar o celular e se aproximar da namorada. — Vou pedir para alguém nos ajudar! — Olhou em volta e acenou na direção de Hyuk.

— Está me chamando, senhor? — perguntou inocentemente, desligando o aparelho e colocando a mão livre sobre o peito.

— Ei, cara! Tire uma foto nossa aqui! Rapidinho! — O rapaz sequer olhou para Hyuk. Sua atenção estava em outro lugar.

Um estudante estava passando e deu uma pequena corrida para alcançar o casal. Pegou o celular da mão do jovem e tirou umas três fotos dos dois *pombinhos* que se abraçaram de lado. A menina fez um coração com os dedos polegar e indicador, e o rapaz que a segurava fez o mesmo.

Hyuk assistiu a toda a cena com um desconforto no peito. Isso já tinha acontecido várias vezes: as pessoas fingirem que ele não existia quando usava aquele uniforme azul-marinho, boné e botas de borracha. Eram os equipamentos necessários para trabalhar ao ar livre com segurança, mas também era o que o diferenciava dos outros estudantes, embora também fosse um deles.

Por isso, suas lembranças repetidamente giravam em torno da sensação de ser ignorado pelos colegas de turma. A seu ver, eles o reconheciam quando iam para a biblioteca ou algum outro lugar, mas passavam por ele como se não o conhecessem. Ou ainda pior: como se ele nem estivesse ali, limpando o jardim. Talvez houvesse outros motivos para não falarem com ele, como o fato de que não havia feito amizade com nenhum deles.

Mas nem todo mundo de sua classe passava sem lhe dirigir alguma palavra. Existia uma pessoa que mudou a forma como ele via a si mesmo, e foi a partir de um simples *bom dia* que passou a observá-la. Ayla Vasconcellos não o tratava como se o fato de ele ser um zelador o tornasse invisível. Eles se encontraram pela primeira vez assim que ele assumiu aquele serviço no início do semestre, quando ainda estava pegando o jeito e tentando não ficar tão exausto, porque seria difícil sair dali e ir assistir às aulas sentindo uma imensa vontade de se deitar e descansar.

Era um dia como aquele, fresco e ensolarado, embora na época as cerejeiras ainda não houvessem florescido. O inverno tinha passado, e todos agradeciam aos céus pela temperatura ter subido novamente. Quando Hyuk estava podando um arbusto, a brasileira passou e lhe deu bom dia. Ele apenas assentiu com a cabeça. Ainda não sabia que ela era sua colega de turma. Então, no instante em que a viu na sala de aula, logo a reconheceu e achou que não mais o cumprimentaria se o visse trabalhando, porque poderia não querer nenhuma aproximação com *o-cara-da-limpeza*.

Todavia, se Ayla estivesse a caminho da biblioteca ou tentando chegar mais cedo no laboratório de Artes Culinárias e acabasse passando por ele, ela o cumprimentava, mesmo se Hyuk estivesse molhando as plantinhas com uma mangueira ou varrendo em volta do arbusto para deixar o pátio principal o mais limpo possível.

Essas pequenas atitudes o fizeram prestar atenção nela. Talvez, para Ayla Vasconcellos, ela conhecesse Joon Hyuk de uma aula qualquer, mas para o garoto era um encontro que havia acontecido muito antes. Por isso, no momento em que a viu sentada ao lado dele no fundo da sala, tendo dificuldade para enxergar o que o professor Jung transmitia no projetor, sentiu que precisava falar com ela cara a cara.

A menina não tinha tomado a iniciativa, mas ele queria ter a coragem necessária para fazer isso. Retribuir cada "bom dia" que ela lhe dera sem fazer ideia do quanto eram significativos, mesmo que respondesse curvando o corpo em uma reverência ou assentindo com a cabeça. Nesses momentos, ele se virava em sua direção e a encarava até vê-la sumir por uma pesada porta de madeira. Apreciava os cabelos castanhos da garota ao vento e os braços sempre carregando livros de história da culinária coreana. A verdade é que era impossível esquecê-la em um tempo no qual alguém tão importante de seu passado havia se afastado dele, em razão de um erro que ele havia cometido quase três anos antes.

E, quando emprestou a Ayla seu guarda-chuva azul, achou que as possibilidades se abririam quando ela enfim lhe devolvesse o objeto. Quem sabe pudesse convidá-la para tomar um café no Seoulover. Mas a devolução nunca aconteceu. Então, inesperadamente, esbarrou com a jovem no corredor, quando o nervosismo o invadiu e sequer conseguiu pronunciar o sobrenome dela.

Sim, era maluco, porque tinha esperado por meses a oportunidade de se aproximar daquela garota que lhe dava bom dia. Não tendo amigos ali, havia começado a cogitar a possibilidade de recomeçar os relacionamentos humanos que haviam sido postos em último plano em sua vida. Queria conseguir se arriscar uma *segunda* vez. E ela era um motivo para mostrar a si mesmo que tinha mudado.

O que ele não esperava era que a tal garota estrangeira que lhe cumprimentava resolveria dar as caras.

— Bom dia, senhor. Poderia me dar uma informação rápida?

Como o senhor trabalha aqui, imagino que deve saber onde fica a enfermaria!

A voz dela surgiu por suas costas. O tom era tão conhecido que ele se sobressaltou. Logo seus batimentos cardíacos aceleraram e, de modo bastante desengonçado, deu meia-volta. Seus pés enroscaram um no outro e, em vez de ficar de frente para a garota, seu corpo cambaleou para o lado e caiu de costas em um arbusto baixo, sem largar o soprador, ficando praticamente abraçado com o aparelho. Todo aquele impacto no chão fez uma multidão de folhas secas e pétalas rosadas voarem a seu redor.

A única reação da menina foi colocar as mãos sobre a boca escancarada e arregalar os olhos, quase como se fossem saltar das órbitas. E lá o rapaz ficou deitado de barriga para cima em meio às plantas do jardim da Universidade Yeon, achando que, caso se movesse, a vergonha seria ainda maior.

— *Ah, meu Deus!* O senhor está bem? — questionou ela, com a voz trêmula.

— Depois de tudo que lhe aconteceu, acho que eu merecia isso, senhorita Baz — respondeu ele com a voz baixa e rouca.

— O quê? Você... — Tirou os dedos que cobriam seu rosto e deu um passo para perto do rapaz. Agachou-se ao lado das pernas dele, que estavam fora do gramado, jogadas sobre os paralelepípedos. — *Joon Hyuk?*

— A seu dispor, senhorita Baz! — Com uma mão, tirou o equipamento de cima do peito e o apoiou na grama, enquanto estendia a outra para a frente. — Mas, antes de qualquer coisa, poderia me dar uma ajudinha aqui? Acho que este arbusto não é um bom lugar para ficar deitado por muito tempo. Já sinto a coceira chegando a algumas partes do meu corpo.

— Claro! Segure minha mão que vou puxá-lo — Ayla ficou de pé rapidamente e enlaçou seus dedos nos dele. Aquele toque, embora estivesse se tornando costumeiro, ainda era capaz de arrepiar cada pelo de seu braço.

Se ela ainda sentia alguma pontinha de raiva de Hyuk pelo simples fato de ele ser gentil demais, foi embora tão logo pousou os olhos nele. Apesar de não estar enxergando perfeitamente cada traço do rapaz, a beleza no rosto de Joon Hyuk nunca lhe parecera tão evidente.

— Eu sou um pouco pesado... — ele ainda tentou se explicar, enquanto puxava a máscara do rosto e a colocava no bolso.

Nunca, jamais, em hipótese alguma Ayla seria tão ingênua a ponto de se deixar levar por um rosto bonito como o de Joon Hyuk. Suspirou ao colocar toda a força em seus membros superiores e, com a mão do braço que não estava ferido, envolveu-a em volta dos dedos de Hyuk e o puxou em sua direção. Era uma subida perfeita: o coreano erguido por aquele guindaste de um metro e sessenta e três de altura, a grama verde deixando alguns resquícios em seu uniforme escuro, as formigas perdendo a chance de morderem sua pele. Até que a menina que usava um mocassim preto escorregou. O sapato deslizou no chão e a fez dar um tropeção em si mesma, o que era bem típico de Ayla Vasconcellos, excetuando o fato de ela ter caído, desta vez, sobre o peito de um homem deitado na relva.

— *Otokke!* — Hyuk ainda conseguiu exclamar antes que a menina despencasse sobre ele.

Num segundo, teve o rosto praticamente colado ao dela. Os dois dividiam o mesmo oxigênio, as pontas do nariz se tocando, e as únicas coisas capazes de separá-los eram as lentes de seus óculos de grau, além da aba do boné que encostava na testa dela. Mas *nunca, jamais, em hipótese alguma* Hyuk seria tão desrespeitoso a ponto de se deixar levar por um momento intimista como aquele. Se havia uma coisa que sua mente ainda era capaz de raciocinar, era que não faria nada. A menos que um *acidente* ocorresse.

12

Descobriu que existe alguém por quem vale a pena esperar

Apesar de ainda ser quinta-feira, sentia que um caminhão havia passado por cima de seu corpo. Se aquela semana quisesse terminar, já podia. Eram quase duas da tarde e Ayla Vasconcellos sequer tinha almoçado. Andou por todo aquele distrito em busca de uma ótica e não fazia ideia de que poderia se perder mesmo se estivesse utilizando as coordenadas do Google Maps. O peso em seus ombros, porém, ia além do cansaço físico e de todas as coisas inesperadas que tinha vivenciado naqueles dias. A carga advinha de se sentir uma pessoa totalmente diferente daquela que andou rumo à Universidade Yeon na segunda-feira. Não, ela já não era a mesma.

E, naquela manhã, protagonizou uma cena e tanto ao cair por cima de Joon Hyuk. Apesar da dor latejante em seu antebraço machucado, apoiou as mãos ao redor do moço e pediu forças a Deus para se levantar de cima dele. Enquanto batia na roupa suja de grama, desconversou perguntando onde ficava a enfermaria. Ele indicou a direção, e Ayla saiu andando na velocidade da luz. O episódio se repetia em sua mente, deixando-a literalmente com dor de cabeça, coração acelerado e mãos suando frio. Não, não tinha como fingir que nada acontecera. Ou que uma coisa ainda mais *constrangedora* quase ia ocorrendo no meio dos arbustos.

Contudo, havia uma coisa que Ayla Vasconcellos costumava fazer para tentar anestesiar sua mente turbulenta e animar seu corpo exausto: comer alguma coisa doce o bastante para se esquecer do que a preocupava. Assim, após ter saído de uma ótica que havia encontrado ali em Seodaemun-gu, o distrito em que morava, resolveu que também precisava comemorar a cirurgia bem-sucedida em seu *óculos-de-grau-oficial*.

Fazia uns minutos que descia sem rumo a avenida Daesin-dong, quando notou que havia passado da entrada da ruazinha que a levava até seu dormitório. Com as mãos nos bolsos da calça de linho bege, a manga da camisa listrada escondendo seu machucado e o peito cheio de questões não resolvidas, deixou-se levar distraidamente pelo movimento dos carros no asfalto, os pedestres andando apressados na calçada e o som dos galhos das árvores balançados pela brisa de primavera, que derrubava as flores amareladas na passarela de tijolos vermelhos.

— Graças a Deus a poluição hoje está bem baixa — sussurrou ao olhar para o céu e vê-lo tão azul quanto estaria em um dia quente de verão. — Espero que amanhã o clima esteja bom assim também! Porque se chover como indica a previsão do tempo, vai estragar minha viagem... — suspirou pesadamente enquanto encarava as nuvens.

Nesse instante, em sua distração costumeira, esbarrou bruscamente o ombro num homem. Ele estava com o telefone grudado no ouvido e fez uma breve reverência como se pedisse desculpas. Ela sorriu sem graça e assentiu com a cabeça em resposta. O moço seguiu seu trajeto e, nessa pausa, Ayla mirou outro local. Acabou por notar uma coisa que a fez se apaixonar à primeira vista.

— Senhor, eu sei que nem só de pão viverá o homem, mas eu preciso *desesperadamente* de um pedaço daquele bolo de chocolate para meu bem viver! — Chegou a salivar e passar a língua nos lábios secos.

Ayla parecia uma criança falando sozinha na rua, mas ela sabia quem a ouvia: Aquele que nunca a deixou. Então, ergueu o queixo e visualizou a extensa loja demarcada com colunas robustas, paredes pretas e janelas largas de vidro temperado. Estranhamente, nunca havia entrado ali, embora naqueles poucos meses de intercâmbio já estivesse bem familiarizada com boa parte dos cafés daquele distrito.

Empurrou a abertura transparente e deu de cara com dois lances de escada que levavam ao segundo andar, mas se encantou de verdade com o cheiro de pão que acabava de sair do forno, impregnando todo o ambiente. Fechou os olhos e se permitiu inalar o aroma que a deixava mais em paz consigo mesma.

— Olá, senhorita. Como posso ajudar? — uma voz feminina surgiu do nada.

— *Oi!* — ela berrou em português ao ser pega se embriagando com o cheiro da comida. — Quer dizer... — voltou a falar em coreano. — O cardápio, por favor.

— Eles ficam expostos em cima do balcão, senhorita. — A funcionária apontou para trás de si e Ayla ficou com o rosto vermelho de vergonha.

— *Ah, sim!* — Soltou uma risada nervosa. — Agora estou vendo esses letreiros enormes, que podem ser vistos lá de fora por qualquer um que passar na rua! — Contorceu o rosto numa careta, sentindo-se uma boba.

— E todos eles estão escritos em inglês e coreano, mas caso precise de ajuda é só chamar! Vou estar lá no caixa.

— Obrigada, senhorita — cumprimentou em uma meia reverência e se aproximou do local para fazer seu pedido.

Teve a difícil tarefa de decidir qual comida pediria, em meio a uma infinidade de opções que pareciam uma mais incrível que a outra. Acabou optando pelo mais clássico e que poderia ressuscitá-la naquela tarde: um cappuccino gelado com chantilly e mais um pedaço tamanho GG de bolo de chocolate meio amargo, porque, de acordo com ela, *equilíbrio é tudo*. Logo recebeu uma bandeja de plástico preta com um copão de vidro e mais um prato de porcelana, além de garfo e canudo, ambos roxos.

— Se eu tentar ir para o segundo andar carregando tudo isso, algum desastre pode ocorrer, então vamos ficar por aqui mesmo.

Dirigiu-se à mesa de madeira encostada na parede de vidro, que na verdade era um balcão extenso com vista privilegiada para as árvores da rua movimentada, cheia de pétalas de flores. Ayla colocou a bandeja sobre o móvel e sentiu o celular vibrar na ecobag que carregava no ombro esquerdo.

— *Ele* não teria a audácia de me ligar depois do que rolou entre nós, teria?

O sorriso forçado não sumia de seu rosto. Rapidamente botou a sacola de algodão cru sobre a bancada e retirou de lá o aparelho.

— Mas o quê? — espantou-se com o nome do contato que ligava para ela.

Deslizou o dedo na tela e atendeu a chamada. Colocou o celular no ouvido esquerdo e enfiou o canudo na bebida espumosa, agitando o café gelado.

— Ayla? — sua amiga a chamou do outro lado.

— Por que você está me ligando quando já são quase duas horas da manhã no Brasil? O que houve por aí para te manter acordada? A Saori que conheço estaria no quinto sono neste horário! — Queria brincar, mas, no fundo, estava preocupada, o que era bem típico de seu coração ansioso.

Então o turbilhão de palavras veio como uma enxurrada que arrasta tudo pela frente:

— O Henrique vai pedir a Melinda em casamento! E para que ele foi me dizer isso à meia-noite? Meu Deus do céu! Por que não esperou até amanhã? Até parece que não tenho coisas demais na cabeça. Ele quer que eu o ajude a organizar o pedido. Mas sou péssima com tudo que demanda criatividade. Você que é a mente brilhante do nosso trio! O que vou fazer sem você aqui, Ayla? *Ottoke!*

Um silêncio de choque tomou a ligação e a menina nada respondeu.

— Amiga? Você está aí? — Saori perguntou timidamente.

— Sim, estou aqui — Ayla suspirou com pesar.

Enquanto isso, olhava através do vidro uma senhorinha passando de mãos dadas com o marido. O casal na calçada era tão bonito, mas deixou seu peito apertado.

— Conseguiu ouvir o que eu disse? Foi uma bomba e tanto, não sei se tenho forças para repetir tudo de novo!

— Eu ouvi você dizer que o Henrique vai pedir a nossa amiga em casamento, mas tudo que minha mente lembra agora é que *eu já fui apaixonada por ele*! Lembra que a minha fanfic com ele se chamava "O prota da formatura", pelo jeito que nos conhecemos? Você tem noção do quanto isso é constrangedor? Meu Jesus!

— Isso faz o quê... uns três anos? Me poupe, Ayla!

— Eu sei! Mas como é que eu vou aparecer nesse casamento? E se ela me convidar para ser uma das madrinhas? Eu não tenho condições de voltar para o Brasil tão cedo! Pode deixar avisado por aí! — bufou, descontente.

— Não acredito que você não superou essa história! Além do mais, foi toda uma fanfic criada só na sua cabeça! E a Melinda chegou depois de tudo isso acontecer. Quando contou a ela que teve uma *quedinha* por ele, falou como se fosse uma piada e não que tinha se apaixonado de verdade pelo Henrique!

— Piada não, uma novela mexicana mesmo! Graças a Deus que a Mel apareceu e que ele se apaixonou à primeira vista, aí esse *incentivo* me fez superar de vez. Mas continua sendo constrangedor para mim, entende? — Mordeu o canudo e tomou um gole do chantilly na tentativa de se livrar daquele estresse.

— Não, eu não entendo! Lembra quando você me contou essa história? Eu também não estava bem na época, porque fazia poucos dias que tinha perdido a minha avó, mas eu me acabei de rir quando você me contou que estava vivendo uma fanfic escrita por uma menina de catorze anos! — E soltou uma risada alta.

Foi durante a primeira visita que Ayla e seu pai fizeram ao restaurante da família Kim, em São Luís. Um momento que nenhuma das duas ousava esquecer, pois foi ali que sua amizade nasceu, durante um dia cinzento em que Ayla e Abner estavam cansados de andar pela Rua Grande, como é chamado o centro comercial da capital. A menina costumava ajudar o pai no final de semana a fazer as compras de roupas, bolsas e outros itens para levarem para a loja que administravam no interior do estado, onde vendiam os produtos à população local.

Já passava da hora do almoço. O céu ameaçava desabar a qualquer momento, e eles estavam trafegando próximos ao Palácio dos Leões, o símbolo do poder governamental daquele estado, localizado em um bairro histórico com vista para o mar. O carro estava pesado devido ao excesso de bagagem. Quando a moça viu o letreiro com um nome escrito em hangul, pediu que o pai parasse o carro e saiu correndo debaixo do chuvisco. Entrou no restaurante e se encantou com cada elemento que remetia à cultura coreana. Um detalhe de que também não se esquecia é que tocava baixinho o louvor "Million Little Miracles", do grupo Maverick City Music.

Toda animada, pediu duas tigelas de lámen apimentado e uma porção grande de kimchi. Tanto ela quanto o pai ficaram impressionados com o sabor, mas o ápice do dia ocorreu quando Abner perguntou se a filha estava gostando e a menina, com lágrimas nos olhos, respondeu que a comida a fez se sentir abraçada. Ayla se emocionou com o jeito que o macarrão a acolheu naquele dia cinza, e também com o modo como seu pai apreciou toda a experiência. Um almoço que os marcou para sempre.

Contudo, a atendente do restaurante não parecia bem, e Ayla, deixando a preocupação falar mais alto, quando foi pagar a conta perguntou como ela estava, pois era notório seu semblante triste e distante. Sem responder, a menina correu para a cozinha e Ayla a seguiu. Ao vê-la chorar, abraçou-a forte como se a conhecesse a vida inteira e pôde ouvir que a avó da menina falecera havia poucos dias, mas como a idosa morava na Coreia do Sul e praticamente ninguém sabia que ela estava doente, não puderam se planejar para chegar lá a tempo de se despedir.

— Eu sinto muito, moça. — Ayla a apertou ainda mais em seus braços. — Eu perdi meus avós maternos quando ainda era bem pequena e sei o quanto deve ser horrível. Acredito que só Deus para te consolar. — Afagou os cabelos lisos e longos de Saori, que caíam como cascata em suas costas.

— O pior é que a gente não sabia de nada do que ela estava passando! Eu fico mais triste por causa disso... Nem consegui comer hoje. Parece que minha cabeça vai explodir, e como já fechei o restaurante por uma semana, porque meus pais foram para a Coreia com meu irmão e me deixaram para cuidar de tudo, achei que abrir hoje iria me distrair... — explodiu em lágrimas, e seu corpo pequeno tremeu.

— Que tal fechar mais cedo? — Afastou-a um pouco para encará-la.

— Você acha que isso pode me ajudar? Não sei se ficar sem fazer nada vai me fazer bem. Também perdi todas as aulas da faculdade nesta semana! E eu gosto dos clientes daqui. Eles sempre falam algo engraçado e eu acabo me distraindo. — Um riso forçado tentou desabrochar.

— Claro que vai ajudar! A gente fica aqui na cozinha e eu preparo alguma coisa para você comer! Tem um prato que fiz ontem para me animar depois que descobri que meu crush está apaixonado por uma amiga minha. Mas só estou dizendo isso porque você disse que gosta de rir, e a minha história parece uma fanfic escrita por uma menina de catorze anos! E o título seria "O prota da formatura"!

— Como foi isso? — Seu sorriso apareceu, aberto e iluminado.

— Me desculpe, percebi agora que ainda não me apresentei! — A seriedade voltou de repente. — Eu me chamo Saori Kim! E, antes que me pergunte, eu nasci no Brasil e nunca saí do país. O meu pai veio da Coreia e conheceu a minha mãe aqui! E você é a...?

Ayla se apresentou ao abrir a geladeira e retirar os ingredientes de lá. E, enquanto cozinhava um arroz temperado com tudo que encontrou, contou à garota que, durante a formatura de uma prima que estudava Ciências Biológicas, ela viu um rapaz de franja lisa sobre a testa, usando moletom branco, calça jeans escura e um item único em meio à plateia: uma tipoia preta, para sustentar o braço direito machucado.

Como boa dorameira emocionada, achou que ele parecia um protagonista de um k-drama. Naquela noite ela trajava um vestido rodado com uma camisa branca por dentro, além de um salto alto, e se sentia uma verdadeira protagonista à espera de seu par romântico. O motivo de seu colapso foi que, ao sair do auditório para ir ao banheiro, notou o olhar do rapaz da tipoia a seguindo conforme andava pelo corredor entre as poltronas.

, O que ela não esperava era que ele sumisse do mapa depois do evento. Quase uma Cinderela. Mas sua paixão platônica continuava, porque fazia tempos que não se sentia tão atraída por um garoto e sonhava que era recíproco. A limitação que carregava na visão, a luta contra a fobia social e o medo de não ser amada por ser quem é, subitamente haviam desaparecido naquela olhada que o moço deu nela. Porém, não esperava que uma menina viesse para revirar seu mundo, no bom sentido. Melinda e sua família de empresários no ramo da tecnologia tinham vindo do sul do país e chegado àquela cidade do interior do Maranhão para abalar todas as estruturas.

Ayla os viu sendo apresentados no culto de domingo, e ela foi convidada pela líder dos jovens para ajudar a loira a se enturmar. A recém-chegada mostrou bom gosto para roupas, que marcavam seu quadril tamanho quarenta e dois. Ali mesmo soube que estudariam na mesma sala no último ano do ensino médio. Com pouco tempo de convivência, as duas meninas tímidas se tornaram amigas, o que foi incrível, já que Ayla tinha muita dificuldade para se relacionar, devido a um medo inconsciente de sofrer julgamentos.

Então, em um evento evangelístico que reuniu jovens de todas as congregações de sua igreja-sede, Ayla descobriu que o rapaz que a tinha olhado na formatura como se ela fosse única no mundo, notou de modo especial a outra menina. Para começo de conversa, ela nem sabia que ele era crente. Foi uma surpresa enorme vê-lo adorando ao Senhor sem a tipoia.

O rapaz não mediu esforços para trocar de lugar e conseguir se sentar ao lado de Melinda. Ayla percebeu toda a movimentação e engoliu em seco. No final do encontro de jovens, ele foi ousado e se apresentou para a loira, dando-lhe boas-vindas e dizendo que se precisasse de alguma coisa poderia falar com ele. A sulista mal pôde acreditar e contou tudo para sua nova amiga.

Ayla não esperava que Melinda tivesse uma baixa autoestima como a dela, e a loira confessou o quanto estranhou que alguém como Henrique (agora ele tinha um nome) se interessasse em falar com ela e ainda se mostrasse tão amigável, porque sempre colocava seu rosto redondo e seu peso como empecilhos suficientes para que nenhum rapaz quisesse ter algo com ela. Então, Ayla entendeu que o único motivo que a fez gostar do tal Henrique era que ele a tinha olhado como se ela fosse *a garota mais linda do mundo*. Não significava que a tinha iludido. Havia sido apenas um olhar.

Porém, não esperava que os esforços dele fossem dirigidos a outra menina. Mas, no fundo, não tinha problema, porque de fato sentia naquele momento que, quando um homem quer tentar construir algo ao seu lado, ele se esforça e faz sua parte para cultivar uma relação. Ele não tinha ido atrás dela, como havia ido atrás de Melinda. De todo modo, o episódio a fez acreditar que, em algum lugar deste universo, poderia haver algum garoto capaz de apaixonar-se por ela. Recebeu aquilo como um aprendizado de que deveria orar para que, algum dia, alguém a olhasse daquele jeito à distância e tivesse coragem o bastante para chamá-la para perto.

Bebericou um pouco mais de seu café gelado e levou até a boca um pedaço ainda maior de bolo. Pensou por uns segundos até conseguir dizer:

— Sabe de uma coisa que a Melinda me contou assim que eles começaram a namorar? Que, quando ele demonstrava cada vez mais estar interessado em quem ela era, valorizando aspectos que já tinham sido motivos de críticas, ela entendia por que tinha valido a pena esperar por alguém que amava o que ela carregava por dentro, sem ter de precisar mudar para poder ser aceita — Ayla disse em tom de admissão.

— Então? Isso não é motivo o suficiente para me ajudar no pedido de casamento? — brincou Saori. — Porque, querendo ou não, essa situação cooperou para o bem e você entendeu que, embora o mundo vá de mal a pior, ainda é possível acreditar que existam por aí rapazes de confiança por quem devemos orar.

— Vou fazer o possível... Eles já estão juntos há três anos, né? É praticamente o mesmo tempo da nossa amizade! Me ocorreu agora o quanto eles são jovens e o Henrique já quer se casar! Crente não perde tempo mesmo — riu alto.

— Sim, três anos... — Saori suspirou, e Ayla pôde sentir uma alta dose de tristeza em sua voz. — Foi praticamente na mesma época em que minha avó faleceu. É por isso que minha mente não anda boa, sabe? Se eu pudesse, passaria uma temporada com o vovô, para ver se consigo resolver aquele desentendimento com meu primo...

— Queria tanto que você pudesse provar este bolo aqui, que fez simplesmente todos os meus problemas sumirem num segundo! *Nossa, que coisa boa, meu Jesus!* — Ayla fechou os olhos para sentir o sabor com mais intensidade.

— *Problemas?* Você nem nos conta mais nada! Essa sua historinha de que caiu não sei onde e quebrou os óculos... Não engoli, não! Você pode fingir que está bem para sua mãe e sua avó, mas a mim você não engana! Ainda tem aquele carinha que te ligou e você não disse mais nada sobre ele. Vamos aproveitar que a noite é uma criança e já estou acordada, para você me contar tudo sobre ele.

Saori e Ayla não poderiam imaginar quão profundo seria o processo em que ambas estavam se envolvendo naquele momento.

Mas, quanto maior a ferida, tanto maior é o cuidado de Deus para curá-la.

13

Faltou ele dizer: "Você vem sempre aqui?"

Tudo que Joon Hyuk queria naquela sexta-feira era chegar a tempo de pegar o trem KTX, considerado um dos mais rápidos da região. O transporte partiria rumo a Daegu exatamente às nove e vinte e cinco, e já eram nove e vinte. Se havia uma coisa que a Estação de Seul levava bastante a sério, era a pontualidade. E uma coisa que ele costumava fazer na vida era se atrasar. Uma combinação nada perfeita. Mas Hyuk estava convicto de que aquele trem não poderia partir sem ele.

O que ele faria naquele final de semana não poderia ser adiado. Era algo que estava planejando havia semanas. A pessoa que encontraria em Daegu não poderia simplesmente ouvi-lo dizer que não iria porque perdeu o trem. Não era somente um compromisso. Fazia parte de sua tentativa de se aliviar da culpa.

— Deus, não sei se orar por isso é errado, mas faz alguma coisa para este trem se atrasar um minuto! Só para dar tempo de eu chegar! *Por favor!*

A mochila pesada nas costas, o cachecol ameaçando cair do pescoço e o casaco marrom voando ao seu redor, o rapaz praticamente saiu correndo em meio à estação lotada de viajantes. Esbarrou em algumas pessoas no caminho, emitindo um "desculpe" apressado a cada vez. Quando finalmente despontou na área de embarque, nunca pensou que iria agradecer a Deus pelo choro de uma criança, porque deu de cara com o trem branco com molduras azuis ao redor das janelas de vidro parado na plataforma, e dois funcionários agachados ao lado de um menino pequeno, de no máximo cinco anos.

O garotinho passava as mãos ao redor dos olhos, seu choro mais parecendo um berro. Um casal, uma idosa e mais duas menininhas permaneciam ao lado dele. Provavelmente eram a família do pequeno, mas nada faziam além de assistir à cena, como se tivessem a esperança de que os homens uniformizados dessem um jeito nele.

— Eu já disse que não vou subir aí! — a criança gritou com toda força.

— Meu jovem rapaz, o trem precisa seguir viagem, mas sua família quer muito ir com a gente. Olha como suas irmãs estão quietinhas! Por que não tenta se animar também? — um dos funcionários tentou argumentar.

— Não tem jeito, senhor! Mas agradecemos por tentar. — A mãe do menino se aproximou e colocou a mão no ombro do funcionário. — Vamos ver se conseguimos remarcar as passagens.

Hyuk respirou fundo e sentiu o coração pesar. Teria sido aquele pequeno caos uma resposta de oração? Não queria que tivesse sido daquele jeito, mas quando puxou o celular do bolso e olhou a hora, já eram nove horas e vinte e seis minutos. Caso o menininho não tivesse causado aquela confusão, o trem teria saído sem ele. Por isso, foi se aproximando com cautela e, como aquela multidão em volta da criança estava parada bem na frente da porta de embarque, não sabia como se portar. Ajeitou o cachecol no pescoço e engoliu em seco.

Quando abriu a boca para pedir licença a fim de poder embarcar, inesperadamente alguém saiu do trem. Era o tipo de aparição que nem em seus sonhos mais loucos imaginaria encontrar naquele momento.

— Me perdoem, mas eu acabei escutando o que estava acontecendo por aqui... — ninguém menos que Ayla Vasconcellos se interpôs na conversa. — E, se me permitem, eu posso falar com ele? — Apontou para o menino, que continuava em prantos.

A idosa a olhou de cima a baixo e torceu o nariz. O pai do garotinho também a encarou desconfiado. Somente a mãe e os funcionários sorriram com alívio.

— Claro, qualquer ajuda é bem-vinda, senhorita! — A mulher deu um passo para trás e gesticulou na direção do filho.

Os funcionários se levantaram e se afastaram um pouco. A atenção da brasileira estava tão centrada no menino, que ela sequer notou Hyuk a fitando com os olhos arregalados e a boca escancarada.

— Qual é seu nome? — Ayla perguntou, agachando-se para ficar na altura da criança.

— Meu nome? — Ele encarou a mãe e, como ela sorriu ao balançar a cabeça, sentiu-se confortável para dar início à conversa. — É Jun Ho. Lee Jun Ho.

O garotinho ainda soluçou, seu corpinho tremia, mas Ayla continuou como se tudo estivesse bem e sob controle.

— Do que você mais gosta, Jun Ho? Para você, o que é a melhor coisa deste mundo todinho? — questionou docemente mantendo-se concentrada nele.

— Do que eu gosto? — Novamente ele olhou para a mãe e depois encarou as irmãs caladas observando tudo. — Eu gosto de... cachorros. Também gosto de... — Mirou o trem e fez um biquinho ao pensar na resposta. — Jogar bola com meu pai! E também gosto de espaçonaves. Eu até tenho duas! Mas minha mãe só me deixou trazer uma para cá! — O choro ameaçou recomeçar.

— Que coisas legais, Jun Ho! Também gosto muito de cachorros, e quando eu era criança adorava jogar bola com meu pai! Você sabia que, se entrar neste trem grandão com sua família, você vai para um lugar onde poderá fazer o que mais gosta? Eu não tenho certeza, mas e se você acabar indo parar numa cidadezinha onde poderá brincar com cachorros e jogar bola? Além do mais, este trem aqui, a meu ver, se parece muito com uma espaçonave, não acha?

— É? — emitiu timidamente.

Ayla notou no menino um brilho em meio às lágrimas.

— É sim! E depois você poderá dizer a seus amigos da escola que viajou em uma grande espaçonave com a família! Você acha que consegue entrar com a gente? Porque eu te achei muito corajoso, sabia? Você pode gostar!

Jun Ho mirou sua mãe mais uma vez, e a mulher foi em sua direção. Ela estendeu a mão, e o garotinho a segurou.

— Muito obrigada por lembrá-lo do que ele gosta, senhorita! — disse com sinceridade a Ayla. — Vamos entrar na espaçonave, filho?

O menino apenas colocou o dedo na boca e se permitiu ser conduzido pela mulher, seguidos de pai, irmãs e avó. Por fim, os funcionários entraram também, ficando do lado de fora apenas Hyuk e Ayla.

— Não sabia que tinha jeito com crianças, senhorita Baz.

Se tivesse coragem, o rapaz teria dito que não fazia ideia de que poderia encontrar mais uma coisa para admirar nela. O jeito como lidou com o menino, quando ele mesmo era apaixonado por crianças, foi demais para seu pobre coração, tão acostumado a observá-la à distância. Não saber se poderia se achegar mais era doloroso para ele. Um tipo de dor que jamais imaginou sentir por alguém a quem mal conhecia. Queria conhecê-la melhor, porém sentia que ela não permitiria.

— *Joon Hyuk?*

O espanto dominou o rosto de Ayla. Deu um salto e passou as mãos nervosamente sobre a saia estampada com florzinhas em tons de amarelo, laranja e vermelho.

— Vamos entrar na tal espaçonave, senhorita? Senão eles irão nos deixar para trás!

Hyuk gesticulou em direção à entrada e passou pela porta depois dela. A porta fechou-se automaticamente e, a cada passo, ele orava internamente para ter a feliz coincidência de sentar-se ao lado de Ayla. Mas isso já era pedir demais. Que se contentasse com seu costume de vê-la um pouco afastada.

A moça sentou-se nos primeiros bancos e ele seguiu para o meio do vagão. Só que eles não contavam com uma nova confusão.

— Não acredito que você não comprou o assento do Jun Ho ao lado do de sua mãe! Eu disse que o dela seria a cadeira dezessete, mas como você pôde achar que fosse a de número sete? Longe de nossos assentos? Quando digo que não te aguento mais, você ainda acha ruim! — A mãe de Jun Ho estava revoltada e não se sentou, permanecendo em pé ao lado dos bancos e segurando a mão do filho.

— Você que deveria ter comprado todas as passagens no mesmo dia e não ficar esperando desconto! — o marido ainda tentou se defender, acomodado em seu assento ao lado de uma das filhas, que parecia ser a mais velha.

O senhor Lee ignorou a esposa e se concentrou na televisão suspensa no alto, bem no meio do corredor. Em cada lado do vagão havia uma fileira de dois assentos azuis, com pouca distância entre um e outro. Por ser a classe econômica em meio à alta temporada, o trem estava lotado de pessoas rumo às cidades do interior para ver as cerejeiras em seu penúltimo dia antes que só restassem as folhas nas árvores.

— Com licença, senhora... — Hyuk levantou-se de seu banco. — Estou no assento dezoito e posso fazer uma troca. Se concordar... — Deu de ombros.

— Oh, hoje só tem aparecido anjos para me ajudar! — Com a mão livre, ela a colocou sobre o peito. — Eu concordo, sim, se estiver tudo bem para o senhor!

— Está, sim, senhora! O outro banco que vocês compraram é o sete ou o oito?

— É o oito! Fica lá na frente! Perto daquela moça gentil! — gesticulou na direção do banco em que Ayla havia se sentado.

Era uma informação boa o suficiente para fazer Joon Hyuk nem discutir mais nada. Simplesmente pegou sua mochila do guarda-volume superior e voou para junto da tal *moça-gentil-do-assento-de-número-sete*.

— Então nos encontramos outra vez, senhorita Baz — quando o que ele queria dizer era que Deus não fazia nada pela metade! Se a boa obra do Senhor era fazê-los se toparem naquele trem, Jesus era bom demais para não finalizar o serviço que tinha começado.

A resposta dela foi um sorriso amarelo. Virou-se em direção à janela de vidro, mirando as paisagens que apareciam conforme o trem ganhava velocidade, saindo da Estação de Seul rumo ao sul do país. Mas, se ela fosse ousada o bastante, teria dito que aquela viagem de última hora era uma tentativa de parar de pensar em seus problemas, sendo Hyuk um deles. E, agora, olha só quem estava bem a seu lado!

— Você está indo para Daegu? — Ele fingiu que não a viu querer cavar um buraco e se esconder.

— Eu? Bem... — suspirou.

Ayla não sabia que tipo de pessoa deveria ser quando estava com ele, depois de tudo que havia acontecido entre os dois.

— Me perdoe se estou sendo inconveniente, senhorita Baz. Vou tentar não incomodá-la durante a viagem. — Balançou a cabeça negativamente. — Só queria me desculpar por ontem e também por todos os outros dias.

Ayla engoliu em seco. Havia prometido a si mesma no dia anterior, após a conversa no telefone com Saori Kim, que tomaria cuidado com todos os homens coreanos, mesmo que fossem gentis. Ainda mais porque se recusara a fornecer as informações que Saori exigiu dela. Contou por alto as situações que ocorreram entre ela e Hyuk desde o dia em que se toparam na aula de Antropologia. Não deu a ele um nome, senão a menina realmente o investigaria.

Contudo, Saori reforçou o fato incontestável de que os garotos asiáticos não eram como os personagens de k-dramas. As novelas coreanas com cunho romântico costumam mostrar um amor arrebatador entre a mocinha da história e um cara bom demais para ser de verdade, e que ficam juntos no final apesar de todas as impossibilidades. Pelo menos eram assim em sua maioria. Uma situação fantasiosa que alguns caras usavam para se aproveitar de meninas estrangeiras, que iam para Seul em busca de um amor irreal. Era uma coisa que sempre preocupou Saori, desde o dia em que soube que sua querida amiga dorameira faria intercâmbio na Coreia do Sul.

Ela sempre enfatizou que existiam homens bons em todo lugar do mundo, não somente em Seul, assim como existiam caras ruins, que só queriam uma noite descompromissada após conhecer estrangeiras, porque ela mesma já ouvira relatos de clientes do restaurante de sua família que gastaram muito dinheiro para irem à Coreia e, chegando lá, decepcionaram-se com a forma como alguns homens coreanos as viam, como se fossem mais abertas a passar uma noite com alguém que tinham visto uma única vez.

Muitas se sentiram usadas, e isso tirou a ilusão que tinham de se casar com um coreano que agiria como os personagens fofíssimos e inocentes das ficções.

Não que isso acontecesse com toda estrangeira que fosse para Seul em busca de um sonho. Muitas garotas davam a sorte de encontrar felicidade com rapazes coreanos, como qualquer uma teria com um homem de outro país. Afinal, não se trata de nacionalidade ou aparência física, e sim de caráter.

Era até engraçado o medo extremo que Saori tinha de Ayla ser ludibriada por um coreano, quando ela amava *mais-que-tudo* contar a história de como seus pais se conheceram. O senhor Kim era um intérprete que tinha viajado três décadas atrás para o Brasil com uma comitiva de missionários de seu país. No meio da viagem evangelística pelo Nordeste, conheceu dona Francisca, mãe de Saori, em São Luís. O tal do amor à primeira vista. Como ela era uma das únicas pessoas que falava inglês fluente, ajudou-o durante sua estadia no Maranhão e até o acompanhou em algumas viagens. Anos depois, lá estavam eles: casados, dando aulas de idiomas para missionários e abrindo seu primeiro restaurante na capital.

Mas Saori preferia ser a pessoa que alertava sobre o pior a ser aquela que encorajaria as expectativas da amiga de encontrar seu príncipe encantado.

— Você foi incrível com aquela criança, sabia? O jeito que o convenceu a entrar no trem... Nem a família dele estava conseguindo! — Hyuk continuou falando, apesar do silêncio de sua companheira de assento.

— Não tem o que desculpar, Joon Hyuk, e não é nenhum incômodo ter você aqui. Tudo que vivemos nesta semana foi uma série de acidentes consecutivos. E sobre eu ter ajudado o menino, é que tenho um irmão quase daquela idade. Já passamos por muita coisa assim com ele. Por isso, não acho que tenha nada de incrível no que fiz. Outra pessoa poderia ter feito melhor. — Deu de ombros.

— Talvez você achar que não tenha nada de incrível seja o que a torna ainda mais incrível. Você tem um coração bem humilde.

Okay. Ele não a estava ajudando em nada a cumprir a promessa de não se deixar levar. Mas, de acordo com uma fonte muito segura (a sua amiga Saori), nem todos os homens são ruins, né? Mesmo se um garoto coreano não for igual aos dos k-dramas, não significa que seja má pessoa, certo? Porque simplesmente desconfiar de tudo e todos é uma defesa que ela havia aprendido com a fobia social, adquirida já na infância após sofrer bullying na escola e acreditar que ninguém conseguiria tratá-la com o devido respeito, quando na verdade nem todos os colegas eram maldosos com ela. Mas seu trauma foi tão profundo na época, que simplesmente generalizou aquele medo e passou a acreditar que ninguém mais poderia merecer sua confiança.

Por isso, permitir-se ser amiga de Melinda e depois de Saori foi um passo de extrema importância em seu processo terapêutico. Carla Martins, a psicóloga que a atendeu desde sua primeira crise aos oito anos, quando não queria mais ir para a escola e ficava em pânico em meio a qualquer multidão, e que a acompanhou até o segundo ano do ensino médio e depois durante seis meses após a morte de Abner, sempre lhe dizia que, se continuasse se agarrando às piores possibilidades, poderia acabar deixando as melhores coisas da vida passarem como se fossem as vilãs.

Também sempre lhe falava que viver era uma situação constante de correr riscos. Uma vulnerabilidade da qual ela não deveria fugir, pois quando se permitisse viver, entendendo que não tinha controle de tudo, com o tempo sentiria em seu coração quando deveria se afastar de algo ameaçador de fato e quando teria a paz de saber que aquela era uma coisa que não lhe faria mal. Era só algo corriqueiro da vida. É só vivendo que aprenderia a lidar com seu medo.

— Você diz isso para toda garota que cruza seu caminho? — Atreveu-se a se virar para Hyuk e encará-lo.

Senti-lo tão perto ainda era capaz de mexer com suas estruturas. Ela não queria tremer, mas estava tremendo. Não de medo, mas sobretudo de nervosismo. No entanto, como manter a calma com alguém como ele a fitando do jeito que ela queria ser olhada?

O banco de acolchoamento azul, as árvores verdes correndo através das janelas de vidro, o rapaz de casaco marrom e cachecol xadrez na mesma tonalidade, com a franja dividida ao meio, mostrando um pouco de sua testa e valorizando os óculos na ponta do nariz. E o sorriso. Tudo aquilo era demais para o pobre coração de Ayla Vasconcellos.

— Na verdade, não. Você acha que isso me ajudaria a conquistar alguém?

— Se ela conseguir cair nesse seu *papinho*, acho que pode sim.

— E funcionou com você, senhorita Baz? Você caiu no meu *papinho*?

A risada marota de Joon Hyuk encheu todo o vagão daquele trem. E, incrivelmente, Ayla Vasconcellos amou o som da voz dele e acabou rindo em sintonia.

14

Ela bravamente tentou fugir do garoto que sempre esteve lá

Se para Deus um dia é como mil anos e mil anos, como um só dia, quase duas horas de viagem ao lado de Joon Hyuk eram como dois minutos para Ayla Vasconcellos. Tudo que ela fez naquele trajeto foi lutar, com todas as forças, para não entrar na onda dele, mas tudo que fez foi justamente o contrário.

Ele, por sua vez, disse que não iria incomodá-la e chegou até a colocar fones de ouvido, mas o blues que tocava em volume baixo não era capaz de tirá-la de seu campo de visão. E muito menos de seus pensamentos.

Etta James cantava nos ouvidos de Hyuk a música "At Last". A melodia nunca havia parecido tão apropriada. A canção, a favorita do rapaz, agora soaria diferente para ele. Ele se lembraria dela. Da menina que contemplava o dia cinza pela janela.

Ao olhá-la discretamente, Hyuk pensou que Ayla devia ter acordado e dito a si mesma: "Hoje quero parecer um raio de sol", pois usava uma saia florida em tons amarelados, um grosso suéter alaranjado com mangas que iam até os pulsos e mais um All Star branco nos pés. Os longos cabelos castanhos em uma trança perfeita.

Hyuk não aguentou permanecer quieto em seu canto. Parecia uma criança animada balançando a cabeça ao som da música.

— O que a leva a Daegu, senhorita Baz? — perguntou com a cabeça inclinada, o olhar penetrante e a expectativa de um sorriso gentil em seus lábios finos.

Quando Ayla percebeu, estava contando o porquê de sua viagem. Explicou que tinha ouvido falar daquele lugar através de sua melhor amiga e, desde que havia chegado à Coreia do Sul, queria conhecer aquela cidade.

A visita não era, portanto, algo que faria por si mesma. Ia além das cerejeiras e das construções históricas; seria uma forma de agradecer à amiga por estar a seu lado em dias difíceis. O que seria uma grande surpresa, pois nem ela ou a família de Ayla sabiam dessa viagem de última hora. Ela iria para lá se despedir de quem a amiga não pôde. Seria um modo de ajudá-la a encerrar um ciclo de dor e deixar somente a saudade fazer morada.

Chegou a contar que essa sua amiga foi sua maior incentivadora para estudar culinária. Ainda disse que a menina era de família coreana, mas não mencionou nomes. E disse que essa moça era formada em Gastronomia e que, ao tomar conhecimento de que Ayla estava tentando uma vaga de intercâmbio, moveu céus e terra para que ela se candidatasse para a primeira turma de Artes Culinárias que abriria na Universidade Yeon. Ayla passou em todos os testes e entrevistas e conseguiu uma bolsa de estudos patrocinada pela instituição. Terminou seu discurso dizendo que era impossível não sentir a mão de Deus em todo o negócio.

O coreano tirou os fones, deixando-os descansar em volta do pescoço sobre o cachecol para ouvir cada palavra atentamente, enquanto seu coração batia acelerado. Não sabia se algum dia se acostumaria a tê-la tão perto sem ficar nervoso, mas, naquele momento, o que sentia era o medo de dizer algo errado e vê-la se recolher outra vez.

— Acho que estamos chegando, senhorita Baz — ele emitiu, ainda com um sorriso bobo no rosto.

— *Já?* — a garota perguntou ao tirar os olhos daquele rosto que lhe parecia simetricamente perfeito e se voltar para a janela.

— Você pretende ficar quanto tempo? — perguntou ao sentir que o trem desacelerava devagar.

— Bem... — Ajeitou-se na poltrona como se não fosse descer tão cedo e o mirou novamente. — Volto hoje para Seul, no último trem. Eu até estou empolgada para conhecer a parte histórica e quem sabe fazer uma trilha nas montanhas, mas acho que não conseguiria ficar até amanhã. Seria aventura demais para mim! — Deu de ombros como resposta.

— Se me permite perguntar, senhorita, do que você mais gosta? Assim, o que você mais ama fazer neste mundo?

— Do que eu gosto? — Soltou uma risada alta. — Acho que sei qual técnica quer aplicar em mim, porque ela é bem familiar, mas como sou educada... — umedeceu os lábios com a pontinha da língua. — Respondendo a sua pergunta, o que mais amo fazer nesta vida é comer algo que me faça sentir bem.

Nesse instante, o transporte parou na plataforma da Estação de Daegu. Ayla de novo se focou na janela de vidro a seu lado e pôde visualizar uma escada rolante ao lado de degraus convencionais e pessoas aguardando em pé na parada. Estavam acomodadas, bem próximas umas das outras sob o teto de alumínio, enquanto uma chuva fina, e provavelmente gelada, caía.

— A meteorologia estava certa, afinal de contas — Ayla falou em sua língua materna ao notar o clima do lado de fora.

— O que disse, senhorita? — perguntou ele com a cara confusa.

— Ah! Se eu me distraio, acabo falando em português... — Virou-se para ele e levantou com a ponta do dedo os óculos sobre o nariz. — Falei que a previsão do tempo alertou que iria chover.

Ao dizer isso em coreano, sorriu com a lembrança de um antigo louvor tocado com frequência em sua igreja: "Vai chover línguas estranhas por todos os lados, e desse temporal quero sair molhado". Um clássico da Cassiane.

— Espero que o tempo não atrapalhe o que veio fazer por sua amiga. Mas como você me disse que a coisa de que mais gosta no mundo é comer e é algo que faz você se sentir bem... E está chovendo, é quase meio-dia... — Franziu os lábios por um instante, como que reunindo coragem para falar. — Você aceitaria almoçar comigo? Seria aqui por perto. Eu conheço um lugar de que acho que vai gostar.

A verdade é que o *não* ele já tinha. Era imensa a chance de receber uma recusa para seu convite, que nem era tão ousado assim, excetuando o fato de ela ter dito dois dias atrás que se sentia assustada com a atenção que ele lhe dava. Ayla, por sua vez, lembrou-se do que Saori lhe dissera sobre homens coreanos de boa índole, e também das palavras de sua psicóloga, sobre se permitir viver a experiência sem excluir o que sua voz interior lhe dizia. Assim, entendeu que a única resposta correta seria:

— Você continua tentando jogar seu *papinho* para cima de mim, senhor Joon?

— Eu? — Colocou a mão sobre o peito com afetação. — Não mesmo! Sei que você não é esse tipo de garota, senhorita Baz.

— E que tipo de garota eu sou, então? — Arrebitou o nariz e piscou os cílios longos ao mirá-lo.

— Do tipo que não recusaria um almoço com um colega de classe, no melhor restaurante que existe em Daegu.

— Você acha que pode me convencer pelo meu estômago?

— E estou errado?

— Não. — Ela balançou a cabeça ao contorcer o rosto numa careta risonha. — Infelizmente não está, senhor Joon Hyuk.

O trem estava parado, e os outros passageiros desciam carregando crianças, malas e câmeras fotográficas. Os dois jovens foram os últimos a se erguer dos assentos azulados e a pegar seus pertences nos bagageiros suspensos. O coreano logo pegou sua mochila e a colocou nas costas.

— A sua bolsa é aquela ali? — Hyuk apontou para uma ecobag no fundo.

— É, sim. Mas não sei como ela foi parar lá! — A garota ficou na ponta dos pés, estendeu os braços e se esforçou para alcançar a sacola.

— Deixe que eu pego, senhorita.

O cavalheiro de um metro e setenta e nove segurou sem dificuldade a alça da bolsa e a puxou. Nesse instante, notou que havia mais um objeto no bagageiro. Uma coisa que ele conhecia muito bem e da qual estava sentindo falta.

— Esse guarda-chuva azul é seu, Ayla? — arriscou-se a chamá-la pelo nome.

A garota colocou a sacola no ombro e virou a cabeça de lado para responder:

— Essa é uma pergunta um tanto complicada... Não quero que pense que o roubei de alguma senhorinha coreana. — Franziu as sobrancelhas. — Porque não é meu, não. A pessoa que me deu nunca veio buscar, aí fico usando, sabe?

— Eu acho justo. — Enlaçou seus dedos em volta do suporte amadeirado — Apesar de que a pessoa que lhe emprestou pode estar pegando chuva em Seul.

Ele se pôs a andar para fora do trem, e a menina o seguiu de perto.

— Prefiro acreditar que, quando ele precisar, virá atrás. — Voltou a dar de ombros como resposta.

— É, faz sentido. Claro, se ele não for tímido demais para pedir de volta!

— Aonde está querendo chegar com isso, Joon Hyuk?

O silêncio se prolongou até eles saírem do trem e andarem se espremendo entre as pessoas que se amontoavam na plataforma. Então, Hyuk parou ao pé da escada e encarou Ayla:

— Por enquanto, o único lugar a que quero chegar com você é a um restaurante. Vamos?

Balançou a cabeça em direção aos degraus largos, como que querendo mostrar a ela que não era fã de escada rolante. Seguiram lado a lado rumo à saída da Estação de Daegu, com a ansiedade de Ayla dando os primeiros sinais. Começou com as mãos suando frio, uma dor inundando o estômago e depois a cabeça. Questionou-se se estava cometendo um erro ao se permitir confiar em seu colega de classe.

Quando saíram da estação, o chuvisco havia engrossado. O rapaz abriu o guarda-chuva com facilidade, por conhecer as artimanhas do objeto antigo. Ela, por sua vez, encarou o movimento das pessoas ao redor e imaginou que, se Hyuk fizesse algo suspeito, bastaria gritar e sair correndo. Porém, no fundinho de sua alma, não sentia que ele fosse esse tipo de gente. Poderia se enganar? Claro. O ser humano passa por cada tipo de situação com quem convive a vida inteira, imagina com alguém que conheceu recentemente!

Contudo, se havia algo que não merecia ganhar poder naquela hora era seu trauma. Assim, silenciosamente, fez uma oração e pediu que o Senhor a guardasse. Não que estivesse o tentando ao se colocar em perigo propositalmente, mas sentia que confiar em seu colega era um passo importante a ser dado. Racionalmente, ele tinha mais prós que contras, e ela já tinha contado por alto sobre ele à sua família. Mas, apesar de tê-lo acusado de ser *gentil demais* com segundas intenções, tinha feito o principal: orado por Hyuk por três noites seguidas.

A tal *oração-da-ovelhinha-solitária*, que consistia em pedir que o Senhor a conectasse a pessoas que fossem segundo o coração dele e que tivessem um propósito de construir algo para o reino naquele relacionamento. A oração da unidade daqueles que se tornam *um em Cristo*, conforme Jesus orou no Evangelho de João, capítulo 17. Orou assim antes de conhecer Melinda e fez a mesma prece após ter abraçado Saori Kim em seu restaurante.

Ayla Vasconcellos conhecia o próprio coração e tinha medo de ser a idiota da história. Nunca quis ser chamada de boba por confiar em quem não deveria. E, naquele momento em Daegu, ela era apenas uma pessoa conhecendo outra. Por isso, orou para que Deus tivesse total liberdade de interferir quando visse que ela estava indo por um caminho indevido, porque enganoso é o coração humano, mas o Senhor conhece cada pensamento e é o único capaz de saber o que as pessoas realmente carregam por dentro. Após essa oração, ela sentiu paz e ativou seu "modo fé". *Que fosse o que Deus quiser!* Porque, se orou, sua parte agora era entregar o controle e esperar com confiança. Independentemente do que fosse acontecer, acreditava que nada fugiria do controle de seu Pai celestial, que tanto a amava.

E, se havia algo que o Senhor sempre quis ao criar homem e mulher, era que o solitário habitasse em família. Um Deus que é Pai, Filho e Espírito Santo, refletindo na criação sua imagem e semelhança de comunhão, unidade e amor recíproco.

— Cabe nós dois aqui debaixo do guarda-chuva, mas se quiser pode usá-lo sozinha e eu te acompanho. Posso cobrir minha cabeça com meu cachecol. — O garoto estendeu o braço e a cobriu, ficando completamente à mercê da chuva.

— E se você pegar um resfriado? Vai dizer à sua mãe que a culpa foi minha? — Ela fez sinal de negativo com a cabeça. — Você disse que o restaurante fica perto daqui, acho que não dá para eu entrar em colapso até lá, não. Vamos?

Braços roçando um no outro através da fricção das roupas não impediram que os pelos de Ayla se arrepiassem e o frio na barriga aumentasse. Mas, conforme andavam, ela se sentiu segura debaixo do guarda-chuva azul ao lado de Joon Hyuk, que segurou o objeto durante todo o trajeto de menos de dez minutos.

Primeiramente, atravessaram o jardim da entrada da Estação de Daegu, depois correram sobre a faixa de pedestres antes que o sinal abrisse e ouviram os carros buzinarem para saírem do caminho. Então, foram para o outro lado da avenida Taepyeongno e desceram até encontrar uma escolinha infantil, que chamou a atenção de Ayla por ter o letreiro em letras do alfabeto romano, um ABC bem grande na fachada.

— A gente entra nesta rua aqui, senhorita — apontou com a cabeça uma via estreita entre os estabelecimentos comerciais.

— É aqui que você vai vender os meus órgãos? — a menina disparou do nada.

— O quê? — O rapaz foi pego desprevenido. — Do que você está falando?

— Nada, não, capitão. Apenas siga nos conduzindo! — Colocou a mão sobre a testa como se fosse um soldado e piscou para ele.

Hyuk até queria ficar chateado com aquela pergunta inescrupulosa de Ayla, mas segundos depois lá estava ele rindo da ousadia da menina. Também não poderia julgá-la, pois sabia que o mundo era um lugar brutal para as mulheres, que o tempo todo sofriam uma série de violações pelo simples fato de serem quem são. E qualquer desconfiança que ela tivesse era compreensível. Em seu lugar, sentiria o mesmo.

Andaram mais uns poucos minutos em meio a lojinhas que vendiam uma variedade de coisas, desde roupas a itens de papelaria, relógios e comidas de preparo instantâneo, como os famosos lámens apimentados. Ela sentia o olhar das pessoas pousando sobre os dois, não somente porque ela era estrangeira e sua pele mais escura que a dele, mas também por causa da curiosa combinação de cores: o azul do guarda-chuva, o marrom do casaco de Hyuk e o laranja do suéter de Ayla. E ambos usando óculos de grau.

— O restaurante é aquele ali, senhorita — indicou ele balançando levemente a cabeça.

— Qual? — Sentiu-se perdida naquele amontoado de lojas.

Eram tantos estabelecimentos, uns grudados nos outros, com letreiros tão chamativos, que pareciam competir entre si.

— Aquele com a placa que diz: *compram-se órgãos humanos*. — Estendeu a mão e apontou para um com a fachada branca desbotada.

— Engraçadinho! — Deu um tapa no ombro dele.

— Foi você quem começou com essa história absurda! — Massageou o ombro, exagerando na careta de dor.

Aproximando-se do restaurante, cujo piso de azulejos era do mesmo tom de branco desbotado, Ayla por um segundo semicerrou os olhos para enxergar melhor, para depois arregalá-lo com o enorme susto que levou.

— O que foi? Você acha mesmo que tem uma placa assim? — O garoto se espantou com a reação dela. — Tudo que está escrito ali é o nome do restaurante em hangul e acima, em inglês, diz que eles estão aqui desde mil novecentos e cinquenta e um!

— *Gijeog?* O nome do restaurante é *Gijeog*? — ela indagou, assustada.

Os dois ficaram na varanda da construção antiga, sob o letreiro preto onde havia uma faixa com as cores azul, vermelha, verde e amarela.

— Eles por acaso têm uma franquia de restaurantes com esse mesmo nome e estilo em outros países? — Ayla perguntou, o susto ainda presente em seu rosto.

— *Franquia?* Não! — O garoto acabou rindo dela. — Desculpa, mas é que eu não sabia que o Gijeog era tão famoso assim.

Fechou o guarda-chuva e apoiou a mão nas costas dela, conduzindo-a através da porta. Subiram uns degraus e atravessaram mais uma entrada, e, para o horror de Ayla Vasconcellos, tudo era exatamente igual a um local que ela conhecia bem demais. Os quadros na parede com autógrafos de pessoas significativas que já comeram por ali, uma imagem do restaurante na década de 1950, mais alguns itens antigos, como pratos de porcelana sobre um aparador de madeira, as paredes claras, portas largas com detalhes talhados em formato de flores e as cortinas de papel decorado, que dividiam o espaço extenso em dois salões. Uma parte estava cheia de mesinhas baixas, com os clientes sentados no chão em volta delas. Mas também havia a área com mesas ocidentais, com cadeiras de altura mediana, pessoas em cada canto apreciando a comida.

— Hyuk! — Uma senhora de seus cinquenta anos abriu os braços e correu na direção do menino. — Sua mãe me disse mesmo que você viria para Daegu, mas achei que chegaria só amanhã! Oh, é tão bom ver você!

A coreana, que estava com os cabelos presos em um coque alto e usava um avental bege, apertou as bochechas do rapaz e depois o abraçou dando tapinhas em suas costas.

— E quem é essa mocinha? Sua *namorada*? — Piscou para Ayla ao dizer isso.

A jovem estava tão perplexa com aquela situação que não ousou dizer mais nada. Permaneceu calada, tentando entender a loucura em que havia se metido sem fazer ideia.

— Ela é minha colega, tia. Estudamos juntos na Yeon. A gente se encontrou no trem e a convidei para almoçar. Eu disse que temos o melhor restaurante da cidade!

— Oh, que bênção! Vou providenciar uma mesa para vocês! — A mulher saiu em disparada em busca de algum lugar vago para eles comerem.

— Eu volto já, Ayla. Vou guardar meu casaco e ir à cozinha avisar meu tio que estou aqui. Não demoro, viu? Pode se sentir à vontade, como se fosse sua casa! — Afagou o ombro da moça e a encarou, preocupado com o pavor que ela continuava transparecendo.

A menina olhou mais uma vez ao redor a fim de se certificar de que não estava sonhando. O que a fez se arrepender no mesmo segundo, pois viu à distância um quadro de uma idosa grudado na parede e, ao lado, um texto em homenagem a ela. Rapidamente, Ayla retirou o celular da ecobag e se aproximou da imagem para tirar uma foto. Acabou criando coragem de fotografar outras partes do ambiente.

— *Não é possível!* — emitiu em português.

Procurou com os dedos trêmulos o contato da pessoa para quem enviaria as fotos. Logo mandou as imagens e uma mensagem que dizia:

Vim para Daegu e acabei encontrando isto aqui DO NADA! Pode me explicar o que está acontecendo? Quando me disse que sua família por parte de pai tinha um restaurante na Coreia, no qual tinham se inspirado, não imaginei que fosse uma cópia perfeita do original!

— Aqui é bem charmoso, né? — Do nada Hyuk reapareceu. — Mas você não acha melhor comermos primeiro e depois tirarmos as fotos? Minha tia já providenciou a mesa e levou a comida para lá.

— Espere aí! Eu não vou conseguir comer nada antes que me diga uma coisa... — Ayla pegou na mão do garoto e o conduziu até o enorme quadro na parede. — O que aquela senhorinha ali era para você?

— *Era?* A minha avó. Park Seo Yun. Por quê? — O menino engoliu em seco. — Você está se sentindo bem, Ayla? Ainda é aquela história dos órgãos? Por que você sabe que eu estava brincando, não é? Venha tomar uma água e se sentar um pouco para ver se fica mais calma! — Pegou sua mão e a levou até a mesa.

Se Ayla Vasconcellos não se segurasse, desmaiaria bem no meio do restaurante, ao finalmente assimilar aquilo em que sua mente se recusava a acreditar.

Quer dizer que... *NÃO!*

15

Aquilo que parecia impossível

O almoço silencioso se prolongou por tempo demais. Ayla praticamente não falou coisa alguma, o que estava sendo insuportável para Hyuk. A pior sensação o assaltou: acreditava que havia feito algo de errado, pois sempre achava que a culpa era dele. Só não sabia o que exatamente fizera de tão ruim para ela ter ficado tão introvertida, com o rosto abatido, as costas curvadas, a cabeça baixa e o olhar fugindo do dele.

— Ayla, se você não tiver gostado da comida, saiba que pode me dizer. Eu não vou me magoar, viu? — disse Hyuk quando saíram do restaurante.

— E por que acha que não gostei? Eu até agradeci a sua tia! Só queria que ela tivesse deixado eu pagar a conta — disse andando lentamente ao lado dele.

— Ela sempre faz isso comigo. Não que eu venha aqui me aproveitar dos meus tios! — Balançou as mãos na frente do corpo. — Mas você estava tão calada que achei que não estivesse gostando de nada!

— Me perdoe, eu acabei sendo mal-educada! — Passou os dedos pela testa, que suava de nervoso. — É que aconteceu uma coisa e eu não estou sabendo lidar.

— Por isso você ficava toda hora olhando para o celular, como se estivesse esperando alguém lhe responder? Está tudo bem com sua família? — O rapaz se inclinou na direção dela, tentando encará-la de perto.

Como dizer a Hyuk o que nem ela conseguia expressar em voz alta? Precisava desconversar e mudar de assunto, até sentir que poderia entrar naquele terreno cheio de bombas escondidas debaixo do solo.

— Não se preocupe! Eles estão bem, graças a Deus! O único problema sou eu mesma e minha mente cheia de teorias mirabolantes. E, só para você não ficar insistindo de novo, pode seguir viagem que eu estou bem! Vou dar uma volta pela parte histórica da cidade e depois fazer o que me trouxe até aqui. — Torceu os lábios e assentiu afirmativamente com a cabeça.

Ele poderia fazer tudo por aquela garota, menos não se preocupar com ela. Doía-lhe a insistência de Ayla em fingir que tinha tudo sob controle, quando visivelmente juntava os cacos do que havia se partido dentro dela.

— Tem certeza? Eu já disse que posso ligar para minha carona e dizer que dou um jeito de ir mais tarde. Eu nasci aqui, lembra? Conheço cada canto deste lugar e posso ser seu guia, se você deixar! — disse, com olhar suplicante.

A vontade dele era envolvê-la pelo ombro e apertá-la num abraço, mas se satisfez ao dar mais um passo para junto dela.

Nesse momento, a única coisa que Ayla conseguiu falar de modo audível foi:

— Senhor Joon, até quando vai continuar querendo fazer tudo por mim?

— Me diga você: vai permanecer recusando qualquer ajuda minha?

Os dois estavam num impasse, enquanto andavam pelo mesmo trajeto que os tinha levado para o Gijeog. Desta vez, o guarda-chuva azul permaneceu fechado, firmemente segurado pela mão calejada de Hyuk. O chuvisco havia passado, e o céu se esforçava para mandar o cinza embora, ainda que a temperatura permanecesse fria. Ayla desenrolou o sobretudo bege no fundo de sua bolsa e o vestiu.

— Parece que minha vida consiste em me sentir eternamente numa *sinuca de bico*! — a menina esbravejou ao tentar traduzir literalmente aquela expressão.

— Sinuca de quê? — O espanto dominou a cara do rapaz outra vez.

— Aqui vocês não jogam sinuca? Lá no Brasil, quando eu era criança, meu pai me deu de presente uma mini-sinuca, que tem uns pauzinhos de madeira com uma ponta bem redonda. — Ayla gesticulou com as mãos mostrando como eram os objetos — Você os usa para bater em bolinhas coloridas e assim fazer os pontos numa mesa com buracos nas bordas. — Continuou fazendo gestos como se estivesse jogando. — Não é possível que você não saiba o que é!

— Aqui na Coreia chamamos isso de jogo de bilhar! — Hyuk colocou a mão sobre a boca para esconder o sorriso escancarado.

— Enfim... — As bochechas da menina queimaram de vergonha. — Me sentir numa sinuca de bico quer dizer que estou numa situação sem saída! Entende? Como se não tivesse saída... eu fico cercada!

— Quer dizer que você ficou calada em nosso almoço e não quer minha ajuda para andar pela cidade, por que se encontra numa sinuca de bico? — O garoto fez de tudo para conter a risada alta, mas seu semblante mostrava o quanto estava se divertindo às custas dela.

— Falando assim, parece que estou meio maluca, mas é exatamente isso! Estou numa *sinuquinha*! — afirmou outra vez balançando a cabeça.

O rapaz continuou rindo da cara de Ayla, porque não tinha como evitá-lo. Contudo, o pesar de Ayla era que a única pessoa que poderia tirá-la daquela situação não respondia às suas mensagens. Se ela já tivesse ido dormir — já havia passado da meia-noite no Brasil —, a garota não teria a resposta de que necessitava urgentemente.

— Agora sou eu que estou numa sinuca de bico, senhorita — Hyuk congelou no meio da rua estreita e olhou fixamente para o caminho à sua frente. — Minha carona chegou e não sei como dizer a ele que eu quero ir depois!

Ayla avistou quem o menino estava encarando. Era um idoso parado ao lado de um caminhão de pequeno porte com cabine simples.

— Eu já disse que você pode ir! — Arriscou-se a segurar no antebraço dele e se permitiu mirá-lo de frente.

Aqueles olhos finalmente o encontraram e o fizeram engolir em seco.

— *Joon!* — o idoso gritou ao acenar lá da avenida.

— Você precisa ir, Hyuk. E minha queimadura está bem melhor também! Não precisa se preocupar com nada. Com o Google Maps e uma oração daquelas que movem montanhas, vou conseguir me virar — tentou tranquilizá-lo.

— Você sabe que estou fazendo isso apenas para respeitar sua decisão e não porque eu acredito que seja o melhor? — questionou, com cara de gatinho abandonado.

Ousadamente, colocou os dedos ao redor das bochechas da menina e curvou as costas para ficar na altura dela. Claro que a garota teve um pequeno infarto. Mas o que Ayla não esperava era que a vibração de seu celular terminaria o serviço de desestabilizá-la. Hyuk também pôde ouvir o barulho que o aparelho fez.

Ayla deu dois passos para trás e fez uma reverência para se despedir. Deu as costas para Hyuk e tentou se afastar para poder aceitar a chamada. Meteu a mão no bolso do casaco e retirou o telefone, atendendo logo em seguida.

— Alô? — perguntou com medo do que se seguiria.

— *Alô?* Você quer me matar do coração, Ayla? Como assim você viajou para Daegu e ainda conseguiu localizar o restaurante da minha família? Nem eu sei o endereço de lá! Só me disseram que fica próximo à estação de trem! — Saori respondeu ao gritar no celular.

— Isso é o de menos! O que me deixou em choque é que conheci os seus parentes! Em especial uma pessoa que tenho certeza que você não quer ver nem pintado do ouro mais puro de Ofir! — Colocou a mão sobre a boca e se atreveu a olhá-lo de esguelha.

— De quem você está falando?

— Do seu *primo*! Eu nem posso falar o nome dele, porque em vez de ele ir embora, ficou aqui parado e sinto que está me olhando como se eu estivesse numa discussão!

— Está tudo bem, senhorita Baz? — perguntou ele ao tocá-la no ombro.

— É melhor você ir, Hyuk! — a menina pediu ao virar-se para o rapaz.

— *O Hyuk?* Espere aí! Como você encontrou meu primo? Ele voltou a trabalhar no restaurante da minha tia? Achei que ele tivesse saído de lá faz tempo!

— Amiga, me perdoe por ter colocado você nessa situação maluca! Nem sei como eu mesma vim parar aqui! Sei que já está tarde aí no Brasil e essas informações nem vão deixar você dormir direito, mas é que eu estou em choque! E o seu primo continua me olhando! Depois nós conversamos...

O jeito que o garoto a encarava naquele momento era diferente. Hyuk sentia que havia algo de muito errado e a menina continuava se afastando, não permitindo que ele participasse daquele caos com ela.

— Filho, você não me escutou? — O idoso do caminhão se aproximou, e foi o colapso final para Ayla. — Eu achei que estivesse brigando com sua namorada! Está tudo bem entre vocês? Ela não deveria querer ser apresentada assim!

— Tem um senhorzinho aqui que é simplesmente a cara do seu pai! Parece que vocês têm uma máquina de xerox na família! — Os olhos castanhos de Ayla se arregalaram até o limite humanamente possível do arregalamento.

Nos anos de sua amizade, Ayla estava acostumada a ver Saori postar vez ou outra fotos da falecida avó como forma de homenageá-la. Talvez tivesse visto alguma fotografia da senhora Park ao lado de seu marido, mas nunca o tinha enxergado de modo tão claro. Era como visualizar o pai de sua melhor amiga uns trinta anos mais velho. A semelhança dos traços de cada parte do rosto deles era surreal.

— Eu vou te ligar por chamada de vídeo! Nem ouse desligar o celular! — Saori disse isso em um segundo e no outro estava solicitando a ligação.

— Você vai assustá-los desse jeito! E ainda vai fazê-los pensar que eu sou uma espécie de espiã enviada para fazer não sei nem o quê! — Ayla berrou ao mirar a cara da amiga através da tela.

— Pode deixar que dou o meu jeito! Passe seu celular para o Hyuk! Agora! — A cara raivosa de Saori apareceu iluminada pela tela do telefone.

— O quê? — Ayla exclamou.

— *Agora!* — insistiu Saori.

E lá estava Ayla Vasconcellos, contorcendo o rosto ao entregar o aparelho para um espantado Joon Hyuk. O pobre rapaz poderia ter indigestão por tamanha loucura na qual se envolveu sem saber. Entregou o guarda-chuva azul para o avô e se afastou.

— Olá, senhor Kim! — Ayla fez uma reverência para o homem. — Eu estudo com seu neto. Queria pedir que se sentasse ali comigo enquanto ele conversa com minha amiga. Quer dizer, com sua neta, a senhorita Kim Saori!

Ele nem discutiu. Andaram em silêncio até uma loja de conveniência que ficava na esquina, bem próximo ao local onde o homem havia estacionado o veículo. Deixaram Hyuk num banquinho de madeira molhado, na varanda de uma relojoaria, e Ayla se esforçou para não olhar em sua direção. Sabia que seria intrusivo demais ouvi-los, mas pior seria ver a reação dele na ligação. Esperava que a mente do moço não explodisse como quase aconteceu com a dela.

— A *minha* Saori está implicando com você porque está namorando o *meu* Hyuk? Se for, não ligue para ela, está bem? A menina é um tanto ciumenta, mas tem um bom coração e logo vocês duas vão conseguir se entender! Porque se o Hyuk queria apresentar a senhorita para mim, significa que ele gosta muito de você!

— Senhor... — Ayla nervosamente balançou as mãos para negar tudo.

— Se ele gosta tanto de você assim, senhorita, significa que eu vou gostar também! Porque o meu Hyuk também tem um bom coração e sabe fazer as melhores escolhas para si, não acha? — Deu um sorrisinho para a menina. — Ele é tão cuidadoso! Veja só, eu dei ao Hyuk este guarda-chuva já faz uns seis anos, e ele continua inteiro! E eu já o tinha usado por muitos anos! Tem até meu nome bem pequeno nele. Fiz com uma faca! — Aproximou o objeto do rosto dela, e a menina com esforço enxergou a gravura quase apagada.

Era informação demais para a pobre Ayla! Como assim Joon Hyuk era o dono daquele guarda-chuva? O que isso significava, *meu Deus do céu?* O olho direito dela tremeu de tanto nervoso, e ela não sabia mais o que dizer. Ficou feito pedra.

Contudo, o senhor Kim nem notou o chilique dela. Apoiou o objeto a seu lado na cadeira. O idoso, de barba por fazer, com rugas que deixavam linhas bem visíveis ao redor de seus olhos, boca e testa, era tão simpático e parecia de bem com a vida. Isso acalmou de algum modo o coração da moça.

— Então vocês se conheceram na faculdade, senhorita? — questionou com a mesma pose de interesse genuíno. — Oh, estou tão feliz! — Bateu as mãos enrugadas nos joelhos e as massageou. — Porque ele nunca me apresentou uma garota da qual gostasse! No ensino médio uma menininha da escola conseguiu conquistá-lo, mas depois só deixou o meu Hyuk mal. Ela não tinha bom coração, sabe? Mas eu sinto que você tem! — Ergueu o dedo polegar e fez sinal de positivo para Ayla.

A camisa preta do senhor Kim estava coberta por um casaco na mesma tonalidade da calça jeans desgastada. De altura mediana, o homem estava escondido debaixo das roupas escuras, mas o jeito que sorriu para Ayla foi capaz de iluminá-lo instantaneamente.

— Aliás, qual é seu nome? Ou acha melhor o Hyuk voltar para nos apresentar? — De fato, o senhorzinho estava alegre e não escondia isso.

Ayla pensava como seria quebrar um coração tão entusiasmado como aquele ao dizer que não era nada do que ele estava supondo! Ela apenas continuou com seu sorriso amarelo, as bochechas rígidas ao sustentar uma história que talvez tivesse um final indesejado, e os olhos semicerrados, quase fechados de tanto constrangimento.

Ainda bem que, no meio de sua extrema timidez, o rapaz se aproximou dando passos largos pela rua estreita. Num segundo, estava de frente para ela. Quase como se seu avô não estivesse ali o encarando com a maior felicidade do mundo.

— Ela quer te dizer uma coisa, senhorita Baz... — Estendeu o celular.

— O que a Saori quer comigo? — perguntou chorosa, a voz esganiçada, a dúvida estampada em sua testa franzida, para depois segurar o telefone e encarar a imagem de sua amiga:

— Diga logo antes de eu aqui cair durinha neste chão! Mas, caso eu morra antes de te ouvir, fale à minha mãe e ao Lukinhas que eu os amo! E que a causa do meu colapso foi a sua família ressurgindo das cinzas igual a uma fênix!

— Você está convocada para ir à fazenda do meu avô no interior! — disse Saori com a maior naturalidade do mundo. — Não se preocupe, que avisarei a sua mãe! Certeza que será a melhor *fofoca* desta semana!

— Saori, você quer que eu entre naquele caminhãozinho com eles dois? — Apontou para o veículo estacionado.

— O caminhãozinho do meu avô Kim é tipo coração de mãe, sempre cabe mais um! Só estou te pedindo isso porque lá você vai me ajudar a resolver um problemão. Não sei se já sabia, mas faz três anos que eu não conversava nem dez segundos com o meu primo! Só me prometa uma coisa: que serei a primeira pessoa a saber se você acabar se apaixonando por ele!

16
Ela tinha uma lista de coisas para fazer antes de partir

Ayla não esperava por três coisas quando concordou que, sim, entraria naquele caminhão com ninguém menos que os parentes de sua melhor amiga. Primeiro, o fato de que o banco do carona foi ocupado por uma vizinha do senhor Kim. A senhora Dae viu o motorista saindo naquela manhã e fez sinal de parada, perguntando para onde ele iria. Ao ser informada de que iriam para o mesmo destino, pediu para ir com ele até o centro de Daegu, a fim de fazer algumas compras. Como seu neto estava acostumado a andar na carroceria, disse que não teria problemas, mas o idoso não imaginava que o rapaz traria mais alguém consigo. Não que ele achasse ruim, de modo algum! Estava empolgado com a ideia de o menino ter uma namorada.

Assim, a segunda coisa que Ayla não esperava era ver Hyuk apoiar as mãos nas bordas da carroceria, levantar uma perna comprida e depois a outra, entrando sem nenhuma dificuldade na parte de trás do veículo. Virou-se para ela e estendeu a mão calejada para que tivesse um apoio na hora de subir.

— De onde eu vim, estou acostumada a subir num transporte como este. Alguns até mais altos! — exclamou a garota.

Lembrou-se de quando precisava esticar-se toda para alcançar a carroceria aberta de pequenos caminhões como aquele, o que fazia parte de sua rotina no Maranhão, seja para visitar a avó no interior, seja para ir a algum culto nos povoados com os jovens da igreja. Por morarem em uma região arenosa, precisavam pegar uma condução quatro por quatro, do tipo que suporta estradas de difícil acesso, com muitas subidas e descidas íngremes em meio a palmeiras, lagoas e morros.

— Claro que você não iria aceitar minha ajuda sem dizer algo antes! — o moço falou em uma risada.

— Eu consigo sozinha, senhor Joon!

A menina não segurou a mão dele. Apesar da dor cortante que sentia no local da queimadura, apoiou-se nas bordas da carroceria e esticou uma perna para dentro do veículo.

— Viu só? — disse ofegante ao puxar consigo o resto do corpo.

Logo estavam um de frente para o outro, ambos em pé no meio da lataria, mas Hyuk nem teve tempo de recolher o braço. Quando seu avô deu partida, o veículo deu um solavanco e a menina se desequilibrou. Ágil, o rapaz a envolveu pelos ombros e a manteve junto de seu corpo.

— *Oh, meu Deus!* — ela exclamou em português com a cara assustada. — Eu ainda não tinha caído hoje! — disse em coreano, ao engolir em seco e sentir um calor humano ao ser amparada por Hyuk.

— É melhor nos sentarmos, senhorita Baz — disse ele inclinando a cabeça e a encarando.

— Só se você me soltar primeiro... — emitiu ao erguer o queixo e mirá-lo.

Os rostos dos dois estavam tão próximos. Era inebriante sentir o hálito refrescante do menino misturado com o perfume de lavanda que ele usava. Cheiros opostos, um mais adocicado e outro mais ácido, mas que nele se combinavam tão bem.

Hyuk torceu os lábios e puxou de súbito os braços, como se estivesse sido eletrocutado pela garota. Foi até um canto da carroceria e sentou-se de pernas cruzadas, apoiando as costas na cabine. A menina fez o mesmo e ficou quieta na outra extremidade. Alguns poucos passos os separavam.

— Podemos ir, vovô! — Hyuk deu dois tapinhas no veículo. O som seco das batidas sinalizava que estavam prontos para partir.

— A fazenda é muito longe daqui? — ela se atreveu a perguntar.

— Longe? — O garoto passou a ponta da língua nos lábios para umedecê-los. — Um pouco... — respondeu aparentando dúvida.

— Quantos minutos? — Ela inclinou a cabeça e semicerrou os olhos.

— Uns quarenta... É afastado do centro de Daegu. Fica na zona rural, sabe?

— Uau, tudo isso? — Ayla se espantou mais uma vez. — É que eu realmente queria voltar hoje para Seul após o festival das lanternas!

— Está falando do festival de Dalgubeol? Foi adiado para amanhã, porque há previsão de chuva para o final da tarde!

— Como você soube disso? — A voz dela era um murmúrio, e sua boca se transformou num biquinho inconsolável.

— Ouvi meu tio comentando a respeito com alguns clientes do restaurante, que também vieram pelo festival e as cerejeiras. Até pensei que você estivesse ouvindo a conversa, porque imaginei que sua vinda para cá fosse justamente por causa das lanternas de papel!

Ayla pressionou as pontas dos dedos nas têmporas, o rosto enrugado pela frustração. E essa era a terceira coisa que não esperava!

— Não acredito nisso! — berrou como se nada fosse capaz de consolá-la.

— Sinto muito, senhorita, mas eu acho que... — Vê-la naquele estado era doído demais, porque a mente dele, mais uma vez, o acusava dizendo que a culpa era sua.

Mas não teve a oportunidade de terminar a frase e expor a única ideia que teve naquela hora, apesar de acreditar que a resposta dela seria um grandioso não. O celular da garota vibrou e a fez respirar fundo. Tentou se recompor e pôs a mão no bolso do casaco para retirar de lá o aparelho. O garoto a observou atentamente e notou que não era uma ligação. Conforme os dedos de Ayla deslizavam na tela, os olhos se arregalaram e chegou a tapar a boca com a mão.

— Está tudo bem, senhorita? — ele perguntou, preocupado.

— Queria dizer que sim, mas não está! Porque sua prima não tem pena de mim! Ela me mandou uma lista de coisas para fazer antes de voltar para Seul. *Meu Deus, meu Senhor, me ajuda, por favor!* — citou em coreano um dos memes brasileiros que mais a representavam.

— Estou aqui para ajudar, você sabe... — Deu de ombros e a olhou com o mesmo olhar de gatinho abandonado, que só precisava de lar e muito carinho.

Ayla não soube como responder. Apenas o encarou por um longo período, até as bochechas do menino ficarem vermelhas e ele desviar o olhar para mirar a avenida. Apesar de o senhor Kim dirigir lentamente, já haviam se afastado das redondezas da estação de trem e entrado em uma das ruas mais arborizadas daquela cidade. Dos dois lados havia cerejeiras no ápice do florescimento. Os troncos escuros sustentavam galhos altos, e em cada canto deles pareciam despontar centenas de pequenas flores rosadas.

Conforme o veículo branco se movia sobre o asfalto cinza, a sombra dos galhos formando desenhos em seu corpo, Ayla virou-se de lado, no sentido da avenida movimentada. Quase colocou o corpo todo para fora da carroceria, a fim de poder vislumbrar a paisagem ao redor, que a engolia em seu mundo cor-de-rosa. Seus cabelos castanhos presos numa trança dançavam com o vento frio. E Hyuk, mesmo não podendo ver com exatidão o semblante de Ayla, sentia que o rosto dela brilhava.

Qualquer medo do futuro se dissipava debaixo daquelas árvores que soltavam um aroma intenso no ar. Ayla nem se lembrava mais daquilo que a deixara frustrada segundos atrás. Tudo que importava eram as centenas de cerejeiras, plantadas nas calçadas que delineavam a avenida por onde trafegavam. Notou algumas moças parando sob as plantas para tirarem fotos, e embora se sentisse insegura quando o assunto eram fotografias de si mesma, queria poder guardar uma lembrança daquele dia. A sensação era de que poderia encher um baú de memórias só com aquele momento.

Hyuk fez como de costume: observou-a à distância, embora ela estivesse praticamente ao alcance de seus braços. Quem sabe pudesse esticá-los e dizer, por meio do toque de seus dedos, que tudo ficaria bem. E se pudesse colocar uma música coreana para tocar naquele momento, seria "In Front of the Post Office Autumn", cujos versos falam sobre esperar alguém enquanto as estações voam.

— Se você ficar, prometo que amanhã posso levá-la ao E-World, que fica próximo de onde os festivais das lanternas acontecem todos os anos. Lá também há uma área com cerejeiras, e ainda poderíamos subir na torre... — o garoto enfim tomou coragem de propor a ideia que borbulhava em sua mente.

Ayla continuou em silêncio, como se não tivesse ouvido coisa alguma. O caminhão saiu daquela avenida e seguiu por uma área residencial, com prédios baixos e casas pintadas no mesmo tom de bege claro. Pela primeira vez, sentiu a enorme diferença entre Seul e aquela cidade, que mesmo sendo a quarta maior da Coreia do Sul revelava uma atmosfera interiorana. Era mais pacata, sem arranha-céus imponentes, e dava facilmente para enxergar a silhueta das montanhas à sua volta. Até o ar parecia ter menos partículas de poeira fina.

A forasteira recostou-se novamente, guardou o celular no bolso e cruzou as pernas, deixando os braços descansando sobre elas. A expressão era de alguém que pensava em várias coisas, mas o semblante era sereno. O rapaz percebeu que ela havia fechado um pouco os olhos devido à luminosidade do sol, que embora ameno pelo clima frio ainda batia forte em seu rosto.

— Quer que eu abra o guarda-chuva para fazer sombra? — ele perguntou saindo em busca do objeto. — O mormaço também pode queimar um pouco a pele.

— Está falando daquele guarda-chuva azul, do qual alguém em Seul poderia estar sentindo falta? Me dê ele aqui! — Ela esticou os dedos e ficou movimentando-os.

Hyuk deu um sorrisinho satisfeito. Achou que finalmente Ayla estava derrubando os muros em volta de seu coração e aceitando sua ajuda de bom grado.

— Pegue! — Deu a ela o objeto aberto.

— Você prestou atenção no que está escrito aqui? — Ayla apontou para o cabo de madeira que segurava. — Está quase apagado, mas ainda dá para ler o nome de seu avô: *Kim Do Hyun*.

Agora foi a vez de Hyuk ficar petrificado e encará-la assustado, como se estivesse sendo pego em flagrante.

— O seu avô me contou *tu-do*! — falou pausadamente. — Eu sei que este guarda-chuva é seu e que foi ele quem o deu de presente há uns seis anos. Agora o que não faz sentido para mim é como ele veio parar nas minhas mãos e por que você não disse absolutamente nada sobre ele ser seu!

— Você não se lembra mesmo? Foi no começo da semana, naquela noite de chuva forte. Eu estava usando este casaco aqui! — Hyuk segurou na barra de sua roupa marrom. — E você, se não me engano, estava com uma calça jeans clara e um colete xadrez sobre uma camisa branca. Estávamos saindo bem tarde do laboratório, tínhamos aprendido a fazer massa a partir da batata-doce, acho.

A mente de Ayla lhe trazia alguns resquícios daquela segunda-feira, mas sua visão, que não era boa durante o dia, à noite ficava ainda pior. Assim, não tinha como lembrar-se com perfeição do ocorrido.

— Eu estava acompanhando você desde o momento em que saímos do laboratório e não aguentei vê-la debaixo daquela tempestade, embora a gente nem conversasse. Eu me preocupei, entende? Foi quando me aproximei, peguei em sua mão e lhe dei o guarda-chuva, achando que você iria lembrar-se de mim no dia seguinte quando me visse na aula. Só que você agiu como se não me conhecesse... — Soltou uma risada baixa ao balançar a cabeça.

— Sinto muito! Mas você lembra que, após nosso esbarrão, eu lhe contei que tenho alta miopia? Ela é a culpada de eu não ter enxergado você naquela noite. Às vezes, nem tudo que acontece tem a ver com a gente, sabia? Outras coisas que fogem de nosso controle podem nos fazer agir de uma maneira da qual depois não nos orgulhamos.

A menina fechou o guarda-chuva e o apoiou a seu lado. Arriscou-se a tentar visualizar o céu cinzento acima de suas cabeças e esticou as pernas no chão de alumínio, balançando de um lado para o outro os pés calçados no All Star branco.

— Estou tão acostumado a sempre achar que a culpa é minha, que apesar de você ter me dito isso, acabei optando por acreditar que eu havia feito algo de errado. — O rapaz tímido se encolheu ainda mais em seu cantinho.

Passou a encarar o céu também, pois faria como ela e aproveitaria o leve calor que advinha do alto.

— Teve uma época que me senti assim, Joon Hyuk... — Mirou as nuvens empurradas pelo vento.

Ayla contou que, quando criança, não entendia por que precisava ir para o hospital constantemente e deixar os médicos fazerem uma cirurgia em seus olhos. Sua mãe lhe explicava que isso a ajudaria a não enxergar mais as *lagartinhas* que ela dizia ter em sua visão. Por anos, não compreendia o que era a alta miopia, nem como havia sido algo tão grave a ponto de descolar suas retinas. Mas lá estava Ayla se culpando por todo o sofrimento que a família Vasconcellos estava enfrentando. Apesar de ser pequena na época, podia sentir a tristeza deles por sua doença e por fazê-los gastar rios de dinheiro com seu tratamento.

E, desde aquela época, ela não expressava com sinceridade aquilo que se passava em seu coração. É como se contasse apenas metade das histórias. Naquela semana mesmo ela havia experimentado isso, quando disse à mãe, à avó e às amigas que tinha quebrado os óculos ao esbarrar em alguém na universidade, sem revelar, porém, a queimadura sofrida na avaliação prática de Artes Culinárias. Todavia, precisou admitir para Hyuk que, após anos de terapia e muita oração, aprendera que existia uma série de coisas das quais não tinha o menor controle e, por isso, não deveria permitir que gerassem culpa em seu coração sensível.

— Sentir-se culpado sempre será o caminho mais fácil, porque nós, seres humanos, somos mestres do remorso e de outros sentimentos que procuram nos impedir de avançar. E se existe uma coisa que paralisa nosso crescimento, é aquela sensação de que fizemos algo tão errado a ponto de não sermos dignos de receber amor. Mesmo que, diante de Deus, no fundo a gente de fato nada mereça, acredito que a graça é o caminho que nos torna aceitáveis, apesar de nossos erros — ela suspirou.

Lá estava Ayla Vasconcellos fazendo um bolo se formar na garganta de Joon Hyuk. O moço ficou em silêncio. Não se atreveu a abrir a boca, porque sentia que, se tentasse expressar alguma coisa, choraria. Aquele menino que havia anos não se permitia sentir uma dor que insistia em carregar como um peso sobre seus ombros cansados.

Os minutos restantes do percurso foram silenciosos. Um tipo de silêncio que não é constrangedor, mas respeitoso e reflexivo. Ambos precisavam digerir tudo que havia acontecido naquela manhã. Foram descobertas demais, e os nós seriam desatados gradualmente, um por um. Ayla ainda se permitiu reclinar a cabeça e, após contemplar as montanhas vestidas de matas densas, o sono pós-almoço a alcançou e tirou um cochilo até chegarem à entrada da fazenda.

Hyuk, que não pegou no sono de jeito nenhum, pulou da carroceria para abrir o portão de ferro que ficava entre arbustos e pinheiros altos. O veículo adentrou o terreno e seu avô o estacionou na frente da casa amarela de telhado azul com as pontas arqueadas, o piso de madeira um metro acima do chão. Engoliu em seco e tocou no ombro de Ayla, pois não poderia deixá-la dormindo ali.

— Senhorita Baz, já chegamos — sussurrou com voz grave, mas suave.

— Quê? — Ela olhou para o lado e lá estava o rapaz parado do lado de fora do veículo, em pé sobre a grama. — Cadê seu avô? Não vamos deixar a senhora Dae em casa?

— Ele já entrou em casa, deve estar preparando algum chá! E a senhora Dae desceu faz uns minutos, ela mora bem antes de nós. Nossos vizinhos não são tão próximos, há uma distância considerável entre as propriedades.

— Sério? — Estendeu os braços e se espreguiçou. — Onde estamos exatamente? — Então criou coragem para descer do caminhão, tomando mais cuidado para não machucar a queimadura como fizera ao subir.

— Em Gachang-ro, na província de Dalseong-gun, mas ainda faz parte de Daegu. Como eu disse, é uma zona rural mais afastada. Mas eu honestamente prefiro aqui a qualquer outro lugar do mundo! — disse, orgulhoso.

— Eu entendo! Demorei para me acostumar a Seul, porque nunca morei em cidade grande, muito menos em alguma capital. Este lugar aqui lembra minha casa... Tirando o fato de os morros de lá serem de areia branca e não termos montanhas como essas! — Apontou para os montes.

— Quer conhecer a fazenda? — perguntou ele fazendo um sinal com a cabeça, para indicar o amplo terreno.

Os olhos castanhos da garota miraram as plantações que circundavam a residência, e o vento gelado que vinha das montanhas não foi capaz de assustá-la. Não disse nada, apenas assentiu, e a animação voltou a seu semblante.

Seguiu Hyuk em meio a pomares frondosos, com galhos carregados de frutas da estação. Ela se encantou com uma extensa estufa onde cultivavam as hortaliças. Empolgado, ele falava sobre cada tipo de cultivo que o avô fazia e explicou a ela que o idoso não cuidava de tudo sozinho. Alguns homens e mulheres da comunidade trabalhavam ali desde a semeadura até as colheitas, mas naquele dia tinham ido embora mais cedo devido ao clima.

— Você cresceu aqui, Joon Hyuk? — ela questionou, brilhando de entusiasmo. O tipo de alegria que só sentia quando estava em contato com a natureza.

— Sim, apesar de meus pais terem ido para Seul há muitos anos, permaneci com meus avós e só fui embora depois do ensino médio. Na verdade, era para eu ter continuado aqui e estudado na Universidade Nacional Kyungpook, mas muita coisa aconteceu e meus planos mudaram.... — Soprou o ar pesadamente, desviando o olhar.

— Imagino que apenas alguma coisa forte o suficiente seria capaz de arrancá-lo daqui — disse ela, sentindo a primeira gota de chuva cair sobre a testa.

— Parece que a tempestade que fez o festival ser adiado acabou de chegar! — ele desconversou, enquanto pingos também atingiam seu rosto.

— Meu Deus, minha bolsa! Eu a deixei na carroceria! Minha carteira está lá! Além da única muda de roupa que eu trouxe, para usar caso esta aqui molhasse!

Hyuk a segurou e, de mãos dadas, saíram correndo pela grama molhada. Em segundos a chuva aumentou de intensidade, ameaçando encharcá-los caso não corressem. Quando chegaram ao caminhão, o moço pegou agilmente a ecobag da garota e a jogou sobre os ombros. Ainda sem soltar a menina, subiram os degraus da fachada e se abrigaram na varanda da casa amarela.

O senhor Kim se aproximou da janela e sorriu ao ver o jovem casal molhado, ofegante pela corrida, mas sem desgrudar os dedos.

— Entrem e vão se secar, porque não quero vê-los pegando um resfriado — pediu ele, segurando uma xícara de chá.

— Espero que a chuva passe! Porque realmente queria tentar voltar hoje para Seul... — Ayla disse, batendo os dentes de frio.

— Se estiver mesmo decidida a ir embora, posso levá-la até a estação... — o garoto de cabelo úmido grudado na testa disse a contragosto, porque não queria vê-la partir.

Todavia, a tempestade de primavera não cessou. Eles trocaram de roupa, tomaram chá de gengibre e contemplaram o fogo subindo na lareira da sala de estar, enquanto Kim Do Hyun contava histórias da infância de seu neto. Ayla achou que pedir a Hyuk ou a qualquer outra pessoa para levá-la na estação seria como colocá-los em risco, porque se havia algo de que ela não gostava, era ver alguém dirigir em dia de chuva intensa. Um medo que aprendeu com seu pai, Abner Vasconcellos.

As horas se passaram. O horário do último trem se aproximava, e Ayla continuava ilhada naquela fazenda em Gachang-ro.

— Não quer mesmo dormir aqui, senhorita Baz? Eu posso fazer um jantar especial para você! Me diz o que você mais gosta de comer. Mesmo que seja comida brasileira, dou um jeito de fazer de um jeito que deixe seu estômago satisfeito! — Joon Hyuk disse, com a mesma cara de gatinho abandonado.

Um coreano que fazia seu coração bater acelerado e um jantar preparado por ele em um dia chuvoso, numa fazenda rodeada por montanhas? Ayla sabia que a carne era fraca e o estômago, mais ainda! *Meu Deus, meu Senhor, me ajude, por favor!*

17

O dono da voz mais aveludada fez uma oração

O canto de um galo de crista vermelha foi o despertador de Ayla Vasconcellos naquela manhã de sábado. A menina se revirou de um lado para o outro na cama, enrolou-se ainda mais no cobertor grosso e, após o contínuo *cocoricó*, esticou os braços ao emitir um murmúrio e abrir os olhos devagar.

— Onde é que estou mesmo? — A visão embaçada não lhe permitia ver os contornos do quarto, mas ela sabia que não estava em seu apartamento, a começar pela cama macia e grande. — Quer dizer que nada daquilo foi um sonho? Meu Deus!

Então os momentos do dia anterior vieram como flashes em sua memória desorientada. Ela soube que estava bem mais longe daquele que deveria ser seu novo lar, no dormitório em Seul. Encontrava-se na casa de outra pessoa, mas não era de qualquer um. Era simplesmente a casa do avô — e do primo — de uma de suas melhores amigas.

— Puxa, aquele macarrão estava delicioso! — disse enquanto dava soquinhos no cobertor e batia as pernas sobre o colchão. — Por que ele tinha de ser gentil, simpático e ainda cozinhar tão bem? *Que sinuca de bico!*

Outros flashes do que havia acontecido naquela noite de sexta-feira vinham como avalanche sobre seu cérebro. Enquanto se levantava preguiçosamente da cama, lembrou-se de Joon Hyuk lhe fazendo o convite para que ela dormisse ali. O senhor Kim insistiu muito também e disse que seria mais adequado do que sair no meio da chuva para chegar à estação de trem. Ela apenas assentiu com a cabeça ao ceder, derrotada, e sequer mencionou o primeiro pedido da lista de Saori:

> Item 1 da missão Deixa-Deus-te-usar:
> Me perdoe por esta lista que estou enviando, mas prefiro pensar que você é uma missionária nos confins da terra. Então, primeiro, aceite ir para a fazenda do meu avô, que fica no interior de Daegu, e tem todo aquele clima do campo que você ama! Eu acho que vai ajudar você a se sentir em casa, e também vai ajudar meu velhinho a ficar bem nestes dias que são bem difíceis para ele. E passe uma noite lá, deve ter roupas das minhas primas espalhadas em algum canto. Pode usá-las caso não tenha levado bagagem!

O pior nem era isso, mas sim o que veio após ter aceitado o convite e cumprido a primeira parte da missão: Hyuk realmente queria que ela disesse qual era sua comida preferida, fosse qual fosse a origem do prato, porque iria cozinhá-lo para ela. Seria o tal jantar especial. A brasileira de novo tentou desconversar, mudar de assunto, mas o senhor Kim disse que ela não precisava fazer cerimônia, era só dizer do que gostava, porque o *seu Hyuk* era muito talentoso e sabia fazer qualquer coisa. Foi quando ela abriu o coração e disse que sua comida predileta era lámen de frango apimentado com uma porção de kimchi de rabanete, nabo e cebolinha.

— Você está brincando comigo, não é, senhorita Baz? — O garoto caiu na risada. — Estou dizendo que vou fazer qualquer coisa para você, e é isso que me pede? — Cruzou os braços e a encarou, incrédulo.

— Eu sei que parece que estou inventando, mas juro que o macarrão sempre será o meu *ultimate*! Quando provei o lámen coreano, parece que o céu se abriu naquele momento e os anjos desceram com suas harpas, cantando para mim e para meu pai no restaurante da sua família lá no Brasil! — Ela gesticulou como supostamente seriam os anjos tocando os instrumentos.

— Então, o que teremos para esta noite chuvosa será: o melhor lámen de frango que vocês já comeram na vida! Podem anotar aí! — Apontou para o avô e para a convidada. — Se não for o melhor, eu mudo o meu nome para "macarrão"!

O garoto fez um sinal de V de vitória com os dedos e saiu em direção à cozinha, deixando Ayla a sós com o avô. O idoso, tendo notado que o menino estava bem ocupado e distraído com a cozinha, foi em busca dos antigos álbuns de fotografia da família e mostrou para ela cada uma das imagens antigas, muitas delas em preto e branco ou sépia. Ayla riu ao visualizar o pequeno Joon Hyuk praticamente careca, com os olhos enormes e as orelhinhas protuberantes, usando uma camisa listrada e dando um sorrisinho sem jeito para a câmera. Ele deveria ter uns dois anos na época.

E, do nada, Ayla se tornou mais amiga do senhor Kim do que de seu neto. O senhor Do Hyun já considerava a garota parte de sua família, como se a conhecesse a vida inteira. Contudo, quando estava prestes a lhe contar a história da *namoradinha* que havia partido o coração de Hyuk no ensino médio, o jovem despontou na sala avisando que o jantar estava pronto. A fome falou mais alto e eles largaram os álbuns. Enquanto o idoso pegava uma mesinha dobrável para montá-la no meio da sala, a brasileira e o cozinheiro foram buscar os alimentos.

O aroma delicioso fez o estômago da menina revirar e emitir o som de uma pequena trovoada. O rapaz ouviu o ronco e soltou uma risadinha baixa. Em silêncio e numa rapidez descomunal, eles levaram panelas, talheres e tigelas para a mesinha. Ambos encararam o senhor Kim e esperaram que ele começasse a comer, para que fossem autorizados a encher a barriga também. O homem inclinou a cabeça e pediu que seu neto fizesse uma oração para agradecer pelo dia e pela comida. A moça se espantou com o pedido e, assustada, encarou o garoto, enquanto ele e o avô fecharam os olhos para orar.

Este foi o golpe final para seu pobre coração fanfiqueiro, quando a voz aveludada de Joon Hyuk proferiu:

— Jesus, agradeço ao Senhor primeiramente por hoje. Agradeço pelos meus três dias de folga, por eu conseguir pegar o trem e pela senhorita Baz estar no mesmo vagão. Agradeço por ter nos trazido para cá em segurança. Agradeço pelo meu avô, que continua dirigindo muitíssimo bem, até mais que o meu pai, que é caminhoneiro. Queria ter nascido com esse talento, mas a gente não pode ter tudo nesta vida, não é mesmo? — Aquela risadinha outra vez.

Ayla havia se forçado a fechar os olhos, mas acabou abrindo-os de novo e, num segundo, mirou Hyuk, que orava de modo concentrado. Ele não tirava o sorriso de satisfação do rosto iluminado pela fraca luz amarela da sala.

— Então, agradeço por eu saber andar de bicicleta, mas, principalmente, agradeço pela vida da senhorita Baz, cujo sobrenome tão bonito e diferente o Senhor certamente sabe pronunciar! E clamo ao Senhor neste momento para que ela ame esta comida, senão o meu nome daqui para a frente não será mais Hyuk, mas sim Joon Macarrão. Amém! — Abriu os olhos e pegou a menina no flagra, olhando-o com um misto de susto e admiração.

— Amém! — o idoso disse, partindo para cima da panela.

A garota, contudo, nem se mexeu. Os dois jovens continuavam se encarando. O sofá antigo atrás de Hyuk, a estante ao lado de Ayla, a mesinha no centro e Kim Do Hyun na ponta dela. A iluminação não era das mais fortes, mas os banhava com seu tom amarelo deixando o clima ainda mais aconchegante.

Porém, ela se perguntava: como alguém poderia orar como se Jesus fosse seu amigo mais íntimo e se sentisse na liberdade de falar com ele daquela forma tão leve? E ainda fazer que as pessoas em sua volta sentissem uma paz no coração? Era surreal o modo como a presença de Deus invadiu aquela sala com uma simples oração. Por isso o choque não sumia da cara de Ayla. Era visível a interrogação no meio de sua testa franzida.

— A senhorita se incomodou com a oração? Esqueci de perguntar se estava tudo bem orar com a gente! — Kim Do Hyun perguntou ao afundar os palitos de alumínio dentro da panela e tirar de lá uma generosa porção de comida.

— Está tudo bem, sim, senhor Kim! Desculpe minha cara de susto. Eu não sei disfarçar quando alguma coisa me espanta! — As bochechas dela ficaram vermelhas. — Mas é que não sabia que vocês eram cristãos. O que acho incrível, porque minha família e eu também somos. E a Saori, o irmão e os pais dela também!

— Eu suspeitava que você fosse cristã, mas ouvi-la dizer isso... — O júbilo de Hyuk era notório. — É realmente incrível, Ayla! — o jovem confirmou ao balançar a cabeça e manter o olhar no dela, apesar de estar todo encabulado.

Tocar nesse assunto foi o incentivo necessário para o senhor Kim contar mais uma de suas histórias, enquanto se deliciavam com o jantar. Era a narrativa mais inusitada de todas: como ele e a esposa aceitaram Jesus na década de 1970, durante uma peça teatral sobre a Páscoa, em que seus dois filhos mais novos, o pai de Saori e a mãe de Hyuk, foram contracenar na Paixão de Cristo.

As crianças costumavam ir a uma congregação pequena da Igreja Monte Sião, uma denominação evangélica nascida no grande avivamento coreano em Pyongyang. Os missionários da família Min a estavam liderando e sempre gostavam de convidar as crianças da comunidade para participarem de atividades lúdicas. Durante esse teatro, Young, o pai de Saori, foi o oficial romano responsável por prender o mini-Jesus na cruz. O garotinho de túnica vermelha enrolada em seu corpo e uma coroa de galhos na cabeça estendeu os braços magros, e Young puxou os elásticos que estavam no pulso do rapazinho para enrolá-los nas pontas da cruz de papelão. Depois fingiu que tinha um martelo na mão e ficou batendo nas mãos do menino.

Quando Young saiu de cena, a mãe de Hyuk, a senhora Yumi, que havia interpretava Maria, ficou a uma certa distância do Jesus crucificado e perguntou aos berros por que mataram seu filho. Mas, no fim, a menina chorou de verdade. A emoção dela, com sete anos, ao imaginar que Cristo havia passado por tudo aquilo, fez que ela se virasse para a plateia e dissesse com a voz embargada:

— Ele fez isso por amor, não foi? Que amor *grandão*!

A fala suscitou o choro de todos os adultos. A peça foi encenada ao ar livre, num palco improvisado em frente à igrejinha. Era o entardecer e, por ser abril, o céu estava colorido, assim como as árvores ao redor. Quando por fim o missionário Min perguntou quem queria aceitar Jesus como seu único e suficiente Salvador, o avô de Hyuk foi o primeiro a levantar a mão, seguido da esposa e da filha mais velha. Seus parentes depois tentaram desanimá-los dizendo que haviam sido tomados pela emoção do momento, que aquela não era uma religião para coreanos, que era uma quebra de tradição com seus antepassados, mas a família Kim permaneceu firme e toda a sua casa continuou servindo ao Senhor.

Já era tarde quando terminaram a conversa. O jantar havia acabado, Hyuk havia servido o chá, e os três estavam sonolentos. Contudo, não poderiam dormir sem isso:

— Preciso confessar que não é hoje que o seu neto terá o nome mudado, senhor Kim! Porque eu nunca tinha comido um lámen tão incrível! Mas não deixem a Saori saber que eu disse isso. Senão ela nunca mais cozinharia para mim — Ayla disse ao colocar a mão sobre o peito, sentindo o próprio coração acelerado.

— Eu sempre soube que seria mais que vencedor! — Hyuk fez novamente o sinal de V com os dedos, desta vez colocando-os sobre a bochecha direita, abaixo de seus óculos de aro arredondado. — Agora posso dormir em paz, senhorita Baz!

Quando Do Hyun se levantou, os jovens começaram a retirar a mesa. O idoso foi se deitar antes deles, mas primeiro agradeceu mais uma vez à menina por estar ali e pediu que Hyuk se comportasse. Em seguida, Ayla se ofereceu para lavar a louça e, apenas com muita persistência, o rapaz permitiu que ela ajudasse. Após limparem a cozinha tendo o barulho das panelas e da torneira como companhia, o garoto lhe ofereceu um de seus conjuntos de moletom para que dormisse bem aquecida.

Hyuk a levou ao quarto de hóspedes e disse que, se precisasse de alguma coisa, era só chamá-lo no aposento ao lado. Despediram-se com um "boa noite" tímido, e a brasileira quase enlouqueceu com a ideia de que realmente estava lá, dormindo numa casa estranha com dois homens coreanos nos quartos vizinhos. Mas, ao se levantar no dia seguinte usando o moletom lilás que não lhe pertencia, teve a certeza que nada tinha sido um sonho. Era tão real quanto o oxigênio que entrava em seus pulmões.

18

Aquele que oferece ajuda precisou aceitar uma mãozinha

Fazia tempos que Joon Hyuk não se sentia tão nervoso. Não conseguia parar quieto e acabou despertando mais cedo que o planejado naquele sábado de folga. A ansiedade era tamanha que sentia precisar fazer alguma coisa para aliviar o medo de cometer algum erro. Assim, levantou-se às seis da manhã e foi organizar a casa. Naqueles três dias que passaria com o avô, daria um descanso para sua tia Yurim, a principal cuidadora de Do Hyun. Desde que ele se tornara viúvo, sua primogênita havia assumido as principais responsabilidades domésticas e, com a ajuda de suas três filhas e do marido, fazia tudo que podia pelo bem-estar do patriarca da família Kim.

Ele nunca havia se sentido tão só em toda a sua vida quanto naqueles últimos três anos desde o falecimento de sua esposa. Era difícil para o idoso pedir ajuda e dizer como estava se sentindo. Em geral, dizia que estava tudo indo nos conformes e debaixo da graça de Deus. Saori morava a oceanos de distância, mas, quando ligava para o avô, percebia o peso da viuvez sobre os ombros frágeis daquele homem de 72 anos que continuava trabalhando na fazenda e buscando se ocupar o dia inteiro a fim de ignorar a solidão.

O senhor Kim foi o segundo a acordar e, quando viu seu neto passando o esfregão no chão de madeira, tomou um susto.

— A sua prima veio ontem e já deixou tudo limpinho! Por que está esfregando o piso com tanta força? Vai deixá-lo sem cor, meu rapaz! — Deu uma risada rouca e se direcionou para o fogão.

— Eu não quero que nossa visitante pense que somos bagunçados, vovô! — respondeu, e continuou passando o pano com afinco.

— Ela não tem cara de quem se preocupa com isso — disse ao pegar uma tigela de barro pintada de preto e enchê-la com a sopa que tomava no café da manhã.

— Ela quem? — Ayla perguntou inesperadamente, saindo do quarto. — Estão falando de mim, é? — Fechou a porta atrás de si e fez uma reverência. — Bom dia!

— B-bom d-dia! — Hyuk gaguejou nervoso. — Dormiu bem, senhorita Baz? — Acabou deixando o objeto escorregar de suas mãos.

O estrondo fez o corpo da menina dar um salto. Ela o mirou com uma careta.

— Depois de um jantar tão bom e uma cama macia como aquela, nossa... — Suavizou a expressão e suspirou satisfeita. — Fazia tempos que não dormia bem assim! Agradeço a hospitalidade, senhor Kim! — Fez mais uma reverência.

— A senhorita não faz ideia do quanto estou feliz por tê-la aqui! Parece que é minha neta! Da próxima vez, tente convencer a Saori a vir também, certo? — O homem sentou-se ao redor da mesa da cozinha e começou o desjejum.

A brasileira percebeu que a simpatia e gentileza eram de família, mas notou também que o nome da garota provocou um desconforto na cara de Hyuk. Afinal, era um assunto que permanecia intocado por anos. Era difícil para sua amiga conseguir falar disso, pois sentia que poderia estar se fazendo de vítima da situação. Mas o momento do *acerto de contas* estava chegando, e Ayla, conscientemente ou não, faria parte dele.

— É o sonho dela vir para cá, senhor Kim! Acho que isso está mais próximo de acontecer do que imagina! A Saori me disse que não veio porque o preço das passagens aumentou muito recentemente, mas sei que ela está guardando dinheiro para isso. Vamos orar para que ela consiga vir em breve! — disse ao sentar-se próximo ao idoso.

— Eu creio nisso, senhorita! Agora vamos comer? O meu Hyuk fez uma sopa de ovos deliciosa. Ele sempre cozinhou bem, mas se superou outra vez. Não sei se é pela faculdade ou outro motivo assim mais... — fez um coraçãozinho com os dedos polegar e indicador — ... *especial* que o fez se tornar um verdadeiro chef!

As bochechas do rapaz enrubesceram. Ele levantou o esfregão do chão, atravessou a porta da cozinha e deixou o objeto na área de serviço na varanda. Em seguida, foi até o fogão e começou a encher as tigelas com as porções da comida.

— Está aqui o seu, senhorita. Acredito que seja um café da manhã bem diferente do que está acostumada, por isso posso preparar outra coisa, se quiser. Não tem problema, está bem? É só me dizer!

Colocou na frente da garota uma porção de arroz branco, sopa feita com óleo de gergelim, fatias de cebola refogadas e ovos cozidos. Além de kimchi, algas tostadas e fatias de peixe assado.

— Trocar tudo isso por um café com pão? Deus me livre e guarde! Nem Salomão em toda a sua glória comeu uma refeição dessas de manhã! — brincou Ayla, passando a ponta da língua nos lábios e se envergonhando por seu estômago que roncou. — Obrigada pela comida! — Fez uma meia reverência ao curvar a cabeça em agradecimento.

O garoto deu um sorriso largo que quase tirou sua mandíbula

do lugar e foi todo orgulhoso servir-se da comida preparada com tanta dedicação. Estavam saboreando cada alimento emitindo sons de deleite, quando Hyuk falou:

— Vovô, já que o senhor deu folga aos funcionários para irem ao festival e muita coisa não pôde ser colhida ontem devido à chuva, daqui a pouco vou lá na plantação, tudo bem? As frutas precisam ser estocadas para não estragarem.

O idoso respondeu apenas balançando a cabeça.

— Eu posso ajudar também? Diz que sim! — Ayla implorou imediatamente.

— Claro! — Kim Do Hyun disse, empolgado. — Eu acho que você vai gostar da colheita, minha filha, é a melhor época do ano. Já dizia o salmista na Bíblia, não é? Quem semeia em lágrimas, um dia vai colher com alegria!

— Tem certeza de que quer ir? É muito trabalho, Ayla, e dou conta sozinho! — Foi a vez dele de suplicar com o olhar para que ela não fosse. — Além de que você ainda está se recuperando de sua queimadura. Não quero que se machuque outra vez.

— Ora, ora! Se não é o rapaz que todo dia se oferece para me ajudar, mas, no momento em que precisa de ajuda, quer me dispensar? É isso mesmo, produção? — Largou os palitos de alumínio e cruzou os braços em uma pose de revolta. — Não se preocupe comigo. Eu tenho tomado remédios para dor e usado a pomada, e ontem refiz o curativo lá na universidade. Estou ótima!

Encarar aquela garota de cabelos castanhos levemente ondulados caindo sobre o moletom lilás, tão largo em seu corpo pequeno, fez Joon Hyuk suspirar e seu estômago revirar de nervoso. Engoliu em seco e viu que não poderia protestar. Disse que após o café iriam se preparar para irem à plantação. A menina se sentiu vitoriosa. Foi sua vez de fazer um sinal de V com os dedos e colocá-lo abaixo de seus óculos.

✦ ✦ ✦

Dois belos chapéus de palha, macacões jeans maiores que seus corpos, botas de borracha e camisas listradas: foram os looks escolhidos por Joon Hyuk e Ayla Vasconcellos. Os dois trabalharam debaixo de céu azul com nuvens brancas arrastadas pela brisa quente. Nem parecia que havia chovido no dia anterior. O clima ensolarado favoreceu ainda mais o bom humor de ambos. Às vezes se perdiam um do outro dentro do imenso pomar e das árvores com seus galhos pesados de frutas, mas algum fio invisível que os ligava fazia que se encontrassem em meio às plantas.

Colheram o que puderam até a hora do almoço e foram surpreendidos com uma refeição farta preparada pela senhora Kim Yurim, que passou tão brevemente por ali que nem seu sobrinho pôde vê-la. Deixou a comida pronta e mais um recado: esperaria os três naquela tarde no festival de Dalgubeol. E, após comerem até não se aguentarem mais, foram tirar um merecido cochilo da tarde. Ayla dormiu pesada e confortavelmente na cama macia do quarto de hóspedes. Então, Hyuk bateu à porta e a menina de cabelos bagunçados abriu, dando de cara com o menino todo arrumado para o evento.

— A senhorita ainda estava dormindo? É que vamos sair daqui a trinta minutos. Acha que consegue se arrumar até lá? Posso falar com o vovô que...

Ayla não esperou o rapaz terminar sua frase. Simplesmente bateu a porta na cara dele para, sozinha, ter um pequeno surto — gritos sufocados pela palma da mão, pontapés no ar, a cabeça balançada loucamente — e, três segundos depois, reabrir para dizer a ele, que continuava parado, mirando a madeira que rangeu:

— Me perdoe por bater a porta na sua cara, Hyuk, mas isso não é coisa que se diga a uma garota que acabou de acordar de um coma! — suspirou com o rosto queimando de constrangimento. — Prometo que farei de tudo para estar pronta em menos de vinte minutos! Porque não quero que a gente chegue lá na hora do *amém*.

— *Fighting!* — O rapaz levantou os punhos no ar e novamente deu um salto com a porta fechada com força bem à sua frente.

Enquanto isso, a menina dava tapinhas nas próprias bochechas e outra vez surtava sozinha no meio do quarto. Caiu a ficha que não teria como escapar daquele momento: finalmente ela descobriria toda a verdade a respeito do desentendimento entre Saori Kim e Joon Hyuk? *Seria o dia do juízo final?*

19

Entre bicicletas e guarda-chuvas coloridos

O que Joon Hyuk faria dali para a frente com aquela sensação boa que o dominava sempre que tinha Ayla Vasconcellos por perto? Outra vez estavam sentados lado a lado na carroceria da caminhonete de Kim Do Hyun, pois a senhora Dae havia feito sinal de parada quando iam passando e pediu carona para ir ao festival de Dalgubeol. A princípio, ela estranhou o fato de seu vizinho cristão dizer que também ia ao evento com o neto e a hóspede deles.

— O senhor sabe que o festival é uma comemoração ao aniversário de ninguém menos que o próprio Buda? — a senhora Dae inquiriu com a mão sobre o peito.

— Senhora Dae, desde criança sempre gostei de acompanhar os desfiles que acontecem no festival! Mesmo depois que conheci Jesus e meus netos nasceram, minha esposa e eu íamos para nos divertir com as crianças. Apesar de ela não estar mais aqui, imagino que gostaria que eu continuasse indo com os meninos. Eu adoro somente ao Senhor, por isso não vejo problema em ir com o Hyuk e a senhorita *Bazconcelo*! Porque não vamos fazer nada além de prestigiar as apresentações culturais de nossa cidade!

A garota riu indiscretamente, porque a senhora Dae poderia ter ido dormir naquela noite sem essa. O que também lhe deu um tremendo alívio em seu coração, pois no fundo Ayla temia estar fazendo algo de errado por ir a um festival cultural como aquele. Ela havia crescido em lar cristão e, portanto, se abstinha de certas práticas e evitava frequentar certos lugares. Era uma decisão baseada em sua vontade de adorar tão somente a Deus e de se afastar daquilo que poderia levá-la a cometer erros.

Com o tempo, porém, entendeu que havia lugares aos quais ela poderia ir, se o propósito fosse alcançar alguma vida que necessitasse de uma mão para tirá-la da escuridão. E, naquele dia, era justamente o que ela faria.

Assim, não houve mais discussões, pois a senhora Dae, que também era viúva, subiu no banco do carona e desconversou ao falar sobre o clima.

— Nem parece que caiu uma chuva noite passada, não é senhor Kim? — ela comentou, ao ser balançada pelo sacolejo do veículo.

Nesse momento, Ayla tinha um sorrisinho satisfeito no rosto ao contemplar as montanhas ao redor da estrada. Também porque adorou ter ganhado mais um apelido: senhorita Bazconcelo. Acomodou-se confortavelmente na carroceria aquecida pelo calor do sol. Não conseguia enxergar direito pelo canto dos olhos, mas, virando-se rapidamente, viu Hyuk focado na estrada cinza envolta por florestas densas. Ele estava estranhamente quieto e permaneceu pensativo durante o trajeto.

Não demorou muito para chegarem às imediações do parque Duryu, uma imensa área verde em Seongdang-dong onde as festividades aconteciam. Era perceptível o clima animado, com as ruas cheias de pessoas trafegando de um lado para o outro, forçando o senhor Kim a estacionar o carro num local afastado do estádio de beisebol, onde ocorreria a soltura das lanternas.

— Vovô, a tia Yurim mandou uma mensagem pedindo que a gente a encontrasse na avenida onde estão acontecendo os desfiles! — Hyuk disse mirando a tela do celular. — Ela disse que está sentada na arquibancada bem próxima a um telão pendurado por um guindaste. — Contorceu o rosto numa careta.

— Eu posso ir com a senhora Dae até lá! Com esse tanto de informação e pontos de referência, não irei me perder de jeito nenhum — disse o idoso ao dar as costas para o menino.

— Achei que iríamos ver o desfile com vocês! — o rapaz interveio ao andar até seu avô e colocar a mão em seu ombro, fazendo-o virar-se em sua direção.

— Deixe disso! Vocês devem ir ao E-World antes que anoiteça — apontou para a enorme torre que despontava em meio às árvores. — Porque a senhorita Bazconcelo me contou que quer muito ir ao estádio mais tarde soltar uma lanterna! Eu já disse a ela que se fizer isso de forma consciente, e não por razões religiosas, não tem problema nenhum. Há uma multidão de visitantes que vêm todos os anos apenas pelas lanternas também!

O homem afagou o braço do neto e acenou para Ayla ao se distanciar com a senhora Dae já uns bons passos à frente dele.

— Você queria tanto assim ir ao desfile, Joon Hyuk? Porque podemos deixar o E-World para outra oportunidade! Por mim não tem problema — ela disse procurando tranquilizá-lo.

— Não é isso, senhorita! É que queria lhe mostrar a banda da escola em que estudei, porque provavelmente eles vão desfilar também — disse, envergonhado.

— Se é importante para você, é claro que podemos ir! — Foi sua vez de se aproximar e afagar o ombro do rapaz. — Só precisamos ter cuidado para não cruzarmos com seu avô, senão ele vai falar um monte!

Um ânimo tímido voltou ao semblante de Hyuk, e ele a conduziu em meio à multidão para chegarem à avenida principal onde aconteciam as marchas. Ayla estava cativada. De todos os lados vinha o som de músicas antigas tocadas em alto volume, comidas típicas eram vendidas em barracas e trailers, e bandeirinhas adornavam cada canto.

— Olha, eles já estão se apresentando! — Hyuk apontou para além da multidão que se comprimia em volta da avenida, que havia sido interditada para as apresentações culturais.

Ayla encarou as arquibancadas, e uma multidão estava acomodada ao lado de um enorme telão pendurado por nada menos que um guindaste. Só poderia ser a Coreia do Sul mesmo! *Outro nível!* Mas não enxergou o senhor Kim por lá, pois eram tantas pessoas e sua visão não cooperava muito.

— Você tocava nessa banda, Joon? — ela perguntou enquanto espremia os olhos tentando enxergar melhor o grupo que se aproximava.

— Como sabia? Meu avô contou? — perguntou, impressionado.

— Nem era preciso ele me contar, você parece ter uma paixão por música.

— Quem sabe se eu não fosse um fazendeiro, poderia ter me tornado um *idol*?

Os dois riram em perfeita sintonia, embalados pelo som da banda de instrumentos de sopro. Aquele amontoado de pessoas passou ali bem na frente deles, vestidos em uniformes vermelhos com detalhes brancos. Eram tão jovens, e Ayla imaginou que alguns anos atrás Hyuk estava no meio de um grupo como aquele.

— O que você tocava? — a menina curiosamente quis saber.

— Adivinha! — desafiou ao estreitar os olhos.

— Triângulo? Mas você tem a cara de quem mandava muito bem na flauta doce! — Gesticulou com os dedos, tocando um instrumento invisível.

O coreano balançou a cabeça negativamente ao rir acanhado, então respondeu:

— Trombone e um pouco de saxofone! Até tentei aprender violino, mas o meu *jeitinho* especial ao tocar "Brilha, brilha, estrelinha" quase fez meu pai ter uma convulsão de tanto rir! — confessou, com as bochechas vermelhas.

— Agora lá vai eu querer que você toque "Brilha, brilha, estrelinha" para mim! — Bateu seu cotovelo no dele e fez uma cara de pidona digna de um cachorrinho faminto.

— Quem sabe um dia, senhorita Baz... — Deu de ombros, encabulado.

— Eu vou cobrar, viu? — E piscou para para ele, o que quase fez o coração do rapaz parar no mesmo instante. Ela não fazia ideia das emoções que provocava nele por ser simplesmente quem era.

Nisso assistiram à apresentação da banda e ela notou o quanto aquele ambiente musical realmente o deixava com o semblante reluzente.

— Acho que já podemos ir para o E-World — Hyuk falou ao desviar o olhar do grupo que sumia na avenida e encarar a moça.

Mais uma apresentação se aproximava, nada menos que umas trinta senhoras coreanas vestindo roupas em estilo havaiano, com direito a coroa de flores na cabeça e cada uma delas carregando um ukelele. Tocavam mais animadas que os adolescentes que haviam acabado de sair da avenida.

— Então precisamos correr! — a menina falou entusiasmada.

Ousadamente, ela segurou na mão de Hyuk e o puxou para longe da multidão. O rapaz aproveitou a situação para entrelaçar seus dedos nos dela e andar no mesmo compasso que o da moça apressada. Ela, que era praticamente uma turista naquele lugar, mas renunciou ao pouco tempo que tinha ali para ir ver um bando de estudantes tocando instrumentos de sopro, só porque sabia o quanto era importante para ele. Detalhes assim eram significativos para o pobre coração sensível de Joon Hyuk.

Contudo, no meio do trajeto, o fôlego da menina faltou e ela parou sua corrida desenfreada. Puxou a sua mão da de Hyuk para colocá-la sobre o joelho e oxigenar o corpo, sugando até o vento. O moço parou a seu lado na calçada e também puxava o ar com dificuldade.

— Ainda está longe? — Ayla perguntou com a voz fraca.

— Um pouco, mas acabei de ver a nossa salvação, senhorita Baz! — respondeu ao voltar a segurar o pulso dela e puxá-la em direção ao desconhecido.

— Não me diga que é uma carruagem puxada por um pônei.

— Confesso que não será uma experiência tão única quanto essa, mas creio que seja uma solução bem mais rápida. Mas antes de qualquer coisa: você sabe pedalar?

— Sei, sim, por quê? — A confusão em sua expressão era notória.

Atravessaram a rua ao olhar para os dois lados e depararam com seis bicicletas brancas paradas debaixo de uma varanda de vidro. Era um posto de aluguel automatizado de bicicletas. O garoto rapidamente sacou o celular do bolso da calça folgada e acessou o aplicativo pelo qual alugaria os veículos. Num piscar de olhos, pagou as duas corridas e na tela de seu celular apareceram os códigos para destravá-las. Digitou os números nas telas acopladas abaixo das cestinhas esverdeadas.

— Pronto, agora podemos ir! — Hyuk disse triunfante ao guardar o celular.

— Quer dizer que em menos de trinta segundos você alugou estas duas bikes? — Ela segurou uma delas e ergueu a perna para subir na garupa. — Cara, você é um robô? — Colocou a ecobag na cestinha e apoiou as mãos no guidão.

— Foi você quem disse que não podemos perder tempo! — ele disse com a mesma pose de sabichão orgulhoso. Não havia tentado impressioná-la, mas como conseguiu, ficou se achando ainda mais. — Agora tente me vencer na corrida!

Do mesmo modo ágil que alugou as bicicletas, Joon Hyuk subiu na sua, segurou firme com os dedos o guidão e pedalou sobre a calçada para evitar o trânsito. Passou voando sobre os paralelepípedos debaixo de árvores que rodeavam a região do parque. Ayla colocou seu All Star sobre os pedais e lutou para alcançá-lo. Os cabelos dançavam com a brisa da primavera e o sorriso largo não sumia de seu rosto, enquanto dava tudo de si ao acelerar as pedaladas.

Sentia o vento bater suavemente em sua testa e os raios solares aquecerem suas bochechas, dando um toque alaranjado à sua pele morena. Usando uma saia branca longa e um suéter verde-claro, com três pequenas margaridas estampadas — as roupas de reserva que serviram muito bem naquela ocasião —, ela pôde contemplar o menino à sua frente se esforçando para olhar para trás. Hyuk tinha um sorriso de ponta a ponta, e isso era tudo de que ela precisava para reunir forças para o que faria em seguida. Ao chegarem próximos à entrada da torre, colocaram as bikes em um dos pontos de aluguel. Sem trocarem palavras por um tempo, sentiram uma alegria que pulsava de dentro para fora. Já estavam sem fôlego quando subiram os degraus da fachada do E-World.

Ayla ficou encantada com a grandiosidade do local. Havia um globo terrestre enorme que levava o nome do parque e um pequeno castelo estilo Disney como portal de entrada. Boquiaberta, ela se direcionou com ele ao guichê para comprarem os ingressos. Optaram pelos mais baratos do pacote básico, que permitia que apenas dessem uma volta por ali, sem a opção de se divertirem em nenhum brinquedo dos parques temáticos nem de andarem nos carrinhos do teleférico.

E pensar que o plano de Ayla até o dia anterior era somente conhecer o centro histórico de Daegu e fazer o que a havia motivado a ir até aquela cidade, para logo depois ir embora. Porém, deparou-se com Hyuk e, ao descobrir que ele era ninguém menos que o primo de sua melhor amiga, cada um de seus planos foi mudado. Apesar de saber que a última palavra era sempre a do Senhor, ainda estava impressionada com a forma como Deus operava. Mesmo não entendendo tudo que lhe acontecia, em seu coração ela agradeceu ao Pai.

Em seguida, os jovens receberam as pulseiras amarelas com o nome do parque e as colocaram nos pulsos. Ao atravessar a catraca e subir um lance de escadas rolantes, os olhos de Ayla só faltaram saltar das órbitas, tão admirada ela estava da beleza das lojas e dos restaurantes.

O choque se intensificou conforme andavam pelo pátio inicial. A menina dava rodopios ao se deliciar com cada detalhe. O rapaz continuava com um riso frouxo na cara e a encarava em silêncio. Ela parecia uma criança que via pela primeira vez um mundo tão vasto como aquele. Ele se sentia tão feliz por estar a seu lado naquele momento. Seguiu-a quando a garota se dirigiu a uma série de guarda-chuvas azuis e vermelhos pendurados entre os pinheiros altos.

— As cerejeiras ficam por ali, senhorita Baz — disse ele, com medo de quebrar a empolgação dela.

Ayla estava tão animada que nem deu ouvidos. O rapaz foi em busca dela debaixo das dezenas de guarda-chuvas coloridos suspensos. Seus formatos arredondados faziam sombras no chão de paralelepípedos cinzentos.

— Céus, como ela consegue ser tão fofa? — Hyuk murmurou ao vê-la com o queixo erguido contemplando os objetos que pendiam de fios transparentes.

— O que você disse? — ela gritou de longe ao caminhar na direção dele.

E, num segundo, estavam lado a lado debaixo de dois guarda-chuvas azul e vermelho, que contrastavam com a tonalidade fria de suas roupas, como que simbolizando o que de mais intenso havia nos sentimentos tímidos que cresciam entre aqueles dois.

— Que precisamos correr até as cerejeiras! Porque daqui a pouco vão começar a soltar as lanternas e você ainda precisa escrever na sua antes que a acendam!

— Puxa, eu havia me esquecido desse detalhe! Vamos! — Tocou carinhosamente em seu ombro antes de apressar o passo. Um toque físico que também era um símbolo de como se buscavam um ao outro mesmo antes de terem se conhecido.

A corrida os levou a um bosque de cerejeiras plantado em meio a uma rua estreita no parque. Ayla ficou encantada com o chão coberto de pétalas rosadas, os troncos escuros das árvores sustentando milhares de flores pequenas e o céu azul de fundo para emoldurá-las em harmonia. Para onde quer que olhasse, só via duas coisas: centenas de pessoas tirando fotos e as cerejeiras rosadas.

— Você já sabe o que vai escrever na lanterna? — Hyuk perguntou.

Ayla parou de contemplar as flores e encarou o rapaz.

— Na verdade, as palavras que estarão nela não serão as minhas. E eu também queria lhe pedir uma coisa: que escrevesse na lanterna também. — Colocou os dedos em seu ombro outra vez.

— Do que você está falando? — ele questionou inclinando a cabeça para mirar a forma como ela o tocava.

— Eu acredito que registrar de algum modo aquilo que a gente sente pode nos ajudar a lidar com uma perda. A Saori me ajudou tanto quando meu pai se foi, por isso senti que tinha de vir para cá fazer isso por ela. Mas tenho a sensação de que a dor que atravessa minha amiga é semelhante à sua, Joon Hyuk. Por isso, quero deixar um espaço para você na lanterna, onde escreverá o que há de mais doloroso em seu coração e simplesmente deixará esse peso ir embora — anunciou suavemente.

— Eu não sei se consigo, senhorita... — Os olhos dele marejaram.

— Uma vez você me disse que nada do que sentimos é maior do que nós mesmos. Então, esta é sua chance de expressar o que não conseguiu antes. E eu estarei aqui! Entro nessa fornalha com você mesmo se ela for aquecida sete vezes mais, lembra?

20

As lanternas de papel levariam as lembranças mais dolorosas

Haviam deixado o parque temático para trás. Agora, encontravam-se no estádio de beisebol e aguardavam o término da cerimônia, sentados na grama na extremidade do estádio, o mais afastado possível da multidão acomodada em cadeiras de plástico. Eram só os dois, o crepúsculo do final de tarde e os pinheiros altos sacudidos pela brisa fria.

Na entrada da festividade, ao comprarem mais dois ingressos, receberam uma grande lanterna de tecido branco, um pincel preto e mais um isqueiro. Colocaram o pano entre os dois, no chão, e ficaram olhando para ele por alguns segundos em completo silêncio, tendo apenas o barulho da aglomeração ao longe.

— Sabe, Joon Hyuk, a sua prima me pediu para fazer três coisas por ela. A primeira foi aceitar ir para a fazenda com vocês e passar este momento com seu avô. A segunda foi que eu conhecesse o E-World e andasse naquela montanha-russa, mas ela que me desculpe, porque não ando naquilo nem morta! — Ambos riram, tímidos. — E a terceira coisa foi ajudá-la a se reaproximar de você.

Esse último item pegou o rapaz de surpresa.

— Eu contei a ela hoje que vim para Daegu fazer uma homenagem à avó de vocês, porque eu soube desse festival das lanternas e que as pessoas costumam usá-las como cartas que levam

palavras a alguém que já se foi. Mesmo que eu não acredite que aqueles que partiram possam nos ouvir por meio de uma mensagem numa lanterna, acredito que, para quem ficou, conseguir falar da saudade sentida é também uma forma de superar a perda...
— disse com a voz baixa, quase sussurrando.

Nisso, a primeira lágrima teimosa despencou dos cílios do rapaz e rolou solitária por seu rosto magro. Ele fungou e coçou o nariz.

— A Saori me mandou o que gostaria de ter dito à sua avó, mesmo que ela não possa mais ouvi-la, mas eu acredito que Deus entende a nossa necessidade de colocarmos para fora essas palavras que estão há muito tempo enclausuradas dentro de nós! Como ela escreveu em coreano, achei melhor não ler. Assim, queria que você fosse a pessoa responsável por registrar essas palavras na lanterna e também colocar as suas. Será algo que ficará guardado entre vocês dois.

Pegou o celular de dentro da bolsa, o desbloqueou e colocou na conversa com a amiga. Apoiou o aparelho na grama, bem ao lado do tecido. Joon Hyuk suspirou pesadamente e pegou o pincel. Com as mãos trêmulas e as lágrimas começando a brotar, ele escreveu primeiramente as palavras que sua prima enviou e depois usou o espaço restante para colocar as suas. Fazia três anos que não chorava tanto, chegando a soluçar. Uma dor que saía quase em gritos de seu peito e fazia seu corpo inteiro tremer.

Ayla o respeitou e não fez perguntas. Sabia que o maior acolhimento que poderia dar naquele momento era estar ali, ao lado dele, em silêncio. Mas resolveu fazer mais. Abriu sua ecobag e puxou o sobretudo bege. Mesmo que fosse pequeno, comparado ao tamanho de Hyuk, estendeu-o sobre as costas do rapaz e, ao sentar-se colada a ele, pôde encostar a cabeça em seu ombro e abraçá-lo conforme ele escrevia devagar sobre o pano.

Já eram mais de seis horas da tarde quando deram início à soltura das lanternas. De longe, ela via as pessoas acendendo o pavio que ficava dentro da lanterna e depois esperando o ar quente fazer o efeito de estufá-la, para que tivesse condições de voar. O céu estava cinza, e a garota percebeu que o horizonte poderia morar em um dia como aquele. Havia beleza em momentos como aquele em que a claridade já se foi e é preciso lidar com a falta de luz. Pois não é ruim estar no escuro quando se tem a esperança do amanhecer.

— Terminei, senhorita... — Hyuk disse em meio a um soluço.

— Vamos soltá-la então. Juntos. — A menina se levantou da grama e depois estendeu a mão para ajudá-lo a se erguer.

O moço segurou-se nela e, num pulo, ficou de pé. Em seguida, agachou-se para pegar o tecido branco e, ao estendê-lo, Ayla acendeu o isqueiro e colocou fogo no pavio localizado na boca da lanterna. Aos poucos, ela foi se inflando e ganhando contornos mais arredondados, assemelhando-se a um grandioso balão.

— É engraçado que, para mandarmos as coisas dolorosas embora, sempre precisamos de alguém. Não é bom fazermos isso sozinhos, senão fica ainda mais pesado. Por isso amo quando Deus diz que não é bom que o homem viva só — ela comentou, os olhos lacrimejando vendo a lanterna se encher de ar quente.

— Acho que ela está pronta para ir, senhorita — murmurou ele com a voz rouca.

— Conto até três e iremos soltá-la. *Um... dois... três!*

Nesse momento, os dois ergueram os braços ao segurarem juntos nas bordas da lanterna e a soltaram no ar. Pouco a pouco ela foi subindo. Devagar, pelo peso das palavras que carregava, mas sempre em frente, pois seu destino era o céu. Ela era apenas mais uma em meio a milhares de outras. Afinal, há centenas e centenas de lanternas como aquela dentro de cada pessoa, esperando apenas serem libertas.

— O-o-brigado, Ayla... — Hyuk gaguejou sem encará-la diretamente, mas mirando o céu claro e cinzento de final de tarde cheio de pontinhos luminosos.

— Eu é que agradeço por permitir que eu estivesse a seu lado neste momento que era tão seu... — a voz dela também falhou.

Ayla permitiu-se mais uma ousadia naquele início de noite: deu dois passos para perto dele e, ficando de frente para Hyuk, abriu os braços e o envolveu.

— Sei que não é fácil deixarmos os outros entrarem em nosso caos. Temos vergonha da bagunça que existe em nosso coração, mas saiba que arrumarmos isso com mais alguém torna todo o processo de reconstrução mais leve. E Jesus gosta disso, sabia? De quando somos vulneráveis — sussurrou, comovida.

O rapaz passou seus braços timidamente ao redor da cintura da moça e, naquele abraço, puderam sentir a presença do Deus que cura toda dor.

21

Foi ao som de jazz que eles se conheceram

Já eram mais de oito horas da noite. Ayla e Hyuk foram os últimos a sair do Estádio de Beisebol Duryu. Ela não fazia ideia de para onde estava indo, mas seguia pela rua com ele andando vagarosamente atrás dela. Os olhos do rapaz estavam um pouco inchados, o nariz vermelho e as lentes dos óculos manchadas. Até os ombros dele estavam caídos, enquanto caminhava com as mãos nos bolsos da calça e a cabeça baixa mirando o chão contendo os resquícios da multidão que havia passado por ali.

Ao chegarem ao final da rua e desembocarem em uma avenida movimentada, a garota olhou para os dois lados e ficou visivelmente confusa.

— Vou ligar para meu avô para saber onde devemos encontrá-lo — o rapaz disse com a voz rouca.

Puxou o celular do bolso, deslizou o dedo na tela e rapidamente efetuou a chamada. Não demorou para o senhor Kim atender e, em frases monossilábicas, o neto respondeu ao que o avô lhe dizia. Segundos depois, finalizou a ligação.

— Ele pediu para irmos a um restaurante que fica aqui perto, e me ocorreu agora que nem perguntei se você estava com fome. Me perdoe por isso. — Levantou a cabeça e a encarou com o semblante entristecido.

A garota suspirou pesadamente e voltou uns passos para se aproximar dele.

— Eu já disse que não há nada do que se desculpar! Está tudo bem, Joon. — Afagou seu braço de modo carinhoso. — Vamos?

Ele assentiu ao dar um sorriso fraco. Mas como ter forças após ter derramado tantas lágrimas? Ela também se sentia fragilizada por segurar o próprio pranto no esforço de acolhê-lo da melhor forma que soube fazer no momento. Não que lhe fosse negado derramar suas próprias lágrimas, mas ela sentia que aquele momento era dele e que, quando ele terminasse de colocar tudo para fora, precisaria da melhor versão dela a seu lado. Ela o respeitou tanto em seu choro intenso enquanto escrevia na lanterna, que sequer leu o que ele havia escrito ao lado das palavras de Saori, sabendo que, se ele quisesse, falaria quando a hora certa chegasse.

Agora, porém, um nó se formava na garganta de Ayla. A sensação era que desabaria a qualquer momento. Fizera tudo que estava a seu alcance. Nem sabia ao certo o que a motivava. Talvez simplesmente não quisesse vê-lo naquela situação tão angustiante. É verdade que haviam se conhecido fazia pouquíssimo tempo, mas de uma coisa tinha certeza: o coração de Joon Hyuk era tão sensível quanto o seu, e não queria que ele estivesse machucado. Era tão bom vê-lo gargalhar alto. Mas também entendia que aceitar as lágrimas do garoto era uma forma de valorizar quem ele era.

Assim, desceram por cerca de dez minutos a avenida. A noite os engoliu, e o tráfego de carros ainda era intenso por conta das festividades. Enquanto andavam sob as árvores do parque ecológico, contemplando ao longe as luzes dos prédios comerciais, sentiam-se reconfortados porque não estavam sozinhos. Pelo menos ali contavam um com o outro, sem qualquer pressão sobre como deveriam se comportar. Caminhar somente ao som da cidade lhes dava uma sensação de liberdade. Era como se estivessem no meio do oceano e fossem dois navios rumando para o mesmo destino.

— Você deveria vestir o seu casaco, senhorita Baz — ele quebrou o silêncio.

— E você deveria ter trazido o seu, senhor Joon — respondeu ela com humor.

O sobretudo da garota estava dobrado dentro da ecobag e ela bravamente suportava o frio, porque não achava justo ver Hyuk sem agasalho.

— Ainda está longe? — ela perguntou, porque a fome estava batendo.

— Você gosta dessa pergunta, né? — ele riu baixinho. — Mas já estamos chegando. É bem ali naquele prédio — e apontou para uma construção de quatro andares.

Atravessaram a faixa de pedestres e, após alguns passos na calçada iluminada pela luz dos letreiros dos estabelecimentos, Hyuk parou um segundo e respirou fundo diante do pequeno prédio de tijolos desbotados, com faixas coloridas sinalizando o que havia em cada andar. O que mais chamou a atenção de Ayla foi a palavra *jazz* em um dos banners com escritos em hangul.

— É aqui, senhorita — anunciou ao se deparar com um lance de escadas.

Subiram os degraus mal iluminados até o terceiro piso, e Ayla pôde ouvir de longe a música que tocava, além de sentir o cheiro de comida bem temperada que impregnava o local. A larga porta desgastada estava escancarada e, atravessando-a, notou a iluminação amarelada mal conseguindo alcançar os contornos do ambiente.

Havia poucas mesas com clientes. A maioria eram idosos que dançavam alegremente próximos a um pequeno palco em que uma banda tocava. Era formada por dois coreanos, um no contrabaixo e outro no saxofone, e uma mulher norte-americana cantando de olhos fechados. Ela tinha a pele negra, cabelos cacheados e usava um vestido de lantejoulas douradas. Sua beleza poderia ser percebida a quilômetros de distância.

— Uau, ela canta muito! — Ayla expressou sua admiração.

— Sim, a senhora Fields é incrível! Minha avó a adorava! — disse ele num tom um pouco mais animado.

Hyuk deu mais um de seus suspiros por notar o senhor Kim sozinho numa das mesas arredondadas. Ainda sem tirar os olhos dele, disse para Ayla:

— Foi aqui que meus avós se conheceram e, desde que ela se foi, há três anos, meu velho gosta de vir aqui, porque ajuda a tornar a saudade um pouco mais suportável — explicou ele ao andar na direção do idoso.

— Senhor Kim? — Ayla o chamou ao se aproximar dele também.

— Oh! — o homem emitiu ao ser pego de surpresa. — Espero que tenha gostado do festival das lanternas, senhorita Bazconcelo! E, Joon, é bom vocês comerem logo, pois a comida está esfriando! — Empurrou uma travessa na direção deles.

Bastou Ayla Vasconcellos olhar para uma porção gigantesca de frango frito com aquela casquinha crocante e duas garrafas de Coca-Cola, para seu estômago roncar alto e ela passar a ponta da língua nos lábios secos. Hyuk sorriu ao perceber que o prato a havia deixado com o semblante brilhando. Ambos se sentaram em volta da mesa. O moço apontou na direção do alimento para que ela se servisse primeiro.

— E o senhor? — ela perguntou para Kim Do Hyun antes de atacar o frango.

— Não se preocupe comigo, minha querida, eu comi antes de vocês chegarem! — Pegou uma coxa e a deu para a menina. — Espero que esteja do seu agrado!

Ayla curvou-se em agradecimento e, ao dar a primeira mordida, a crocância a deixou extasiada. Fechou os olhos para saborear ainda mais a iguaria.

— Isto aqui está incrível, senhor Kim!

— Coma, meu filho — Entregou também um pedaço ao neto. — Lembra que sua avó sempre dizia que a comida tinha um jeitinho especial de nos fazer sentir melhores? Então... — Sorriu de modo nostálgico.

— Obrigado pela comida! — o jovem saudou o avô.

Como a moça notou que o idoso conseguia falar abertamente de sua esposa, sentiu-se segura para tocar no assunto.

— O Hyuk me contou que o senhor conheceu a avó dele aqui — falou.

— Aquela noite em que vi a Seo Yun pela primeira vez foi um dos momentos mais marcantes de toda a minha vida! — afirmou apaixonadamente.

O mesmo riso nostálgico permaneceu em seu rosto enquanto contava para a garota que na década de 1960 ele soube que o amor era real e que poderia ser uma dádiva possível para alguém como ele, que não se sentia bom o suficiente para qualquer mulher. Sua autoestima era baixíssima. Alguns anos antes, o pai dele havia inaugurado o restaurante Gijeog, que já de início ameaçava fechar as portas. A família enfrentava dificuldades para administrá-lo, pois a mãe do senhor Kim ficava na fazenda cuidando dos cinco filhos, enquanto o marido viajava mais de uma hora todos os dias para chegar ao centro comercial de Daegu.

Pelo fato de Kim Do Hyun ser o mais velho, logo assumiu a responsabilidade de cuidar do restaurante, mas Hyun sempre gostou mais de estar no campo do que administrando um negócio na cidade. Porém, agradeceu ao pai, que o mantinha ali no estabelecimento a maior parte do tempo. E foi assim que certa noite conheceu Seo Yun.

Da mesma forma que Hyuk era apaixonado por música, especialmente blues e jazz, seus avós também eram. Na verdade, tinha sido um gosto que aprendera ao ser criado por eles. Certa vez, Do Hyun estava caminhando em direção ao restaurante da família, quando recebeu um panfleto de um menino, informando que haveria uma apresentação ao vivo de jazz. Ele nem pensou duas vezes antes de deixar seu pai na mão e subir as escadas daquele prédio próximo ao parque Duryu.

Contudo, não sabia que se apaixonaria tão logo avistasse uma garota usando um hanbok rosado, tradicional vestido coreano. Ela usava os cabelos longos presos numa trança e batia palmas no ritmo da música. Como nunca havia namorado, ficou sem saber como agir naquela situação. Porém, ao se aproximar da menina, que também se entregava à canção, teve coragem de chamá-la para dançar. A partir daquele dia não se afastaram mais.

— Eu nunca me achei o bastante para a Seo Yun, sabe? Mas ela me fez acreditar que o amor é o suficiente, porque ele faz a gente se dedicar ao máximo por nosso relacionamento e lutar um pelo outro. Talvez por isso seja tão difícil viver neste mundo sem ela. Antes de partir, porém, a Seo Yun me fez acreditar que o Espírito Santo nunca me deixaria só e que, com ele ao meu lado, eu conseguiria seguir em frente — disse com a emoção querendo saltar de seus olhos marcados pelo tempo.

Quanto mais o homem falava, maior ficava o nó na garganta de Ayla. Seu peito doía e parecia difícil até respirar. Ela conhecia bem aquela sensação, mas não queria aceitar que teria uma crise naquela hora.

— Você deveria chamá-la para dançar, Hyuk. Em vez de ficarem parados com essas caras de fantasmas ouvindo mais uma das minhas histórias! — gesticulou como se estivesse enxotando os dois da mesa.

A porção gigantesca de frango frito e as duas garrafas de vidro contendo Coca-Cola haviam acabado. Ayla Vasconcellos encarou Joon Hyuk e se espantou quando o viu dar um sorrisinho antes de levantar-se.

— Senhorita, eu amo esta música e sei que ela ficaria ainda melhor se eu a dançasse com você. — Estendeu a mão para ela. — Poderia me dar essa *honra*?

Ayla ficou petrificada na cadeira, com o som das batidas descompassadas de seu coração enchendo seus ouvidos. Hyuk não se intimidou. Foi para o meio do salão e começou a dançar sozinho no meio dos casais de idosos, movendo-se em sintonia com a canção executada pela banda de jazz: "At Last", de Etta James.

Cada neurônio de Ayla gritava o quanto ele estava *terrivelmente* lindo naquela doce noite. A camisa branca com as mangas compridas arregaçadas até os cotovelos, a calça preta em alfaiataria, o sapato social balançando de um lado para o outro, os óculos refletindo a fraca luz amarela. Ele jogou o cabelo liso para trás, tirando uma mecha da testa, e acenou para a menina que o encarava como se fizesse o mesmo questionamento do senhor Kim: "Eu sou mesmo suficiente?".

A resposta é que ela era, não por ser perfeita, mas porque estava disposta a lutar. Sabendo que, com Deus e disposição, o resto se resolveria.

— Você não vem? — Hyuk perguntou ao mordiscar o lábio inferior.

Ela engoliu em seco e olhou um instante para o senhor Kim. O idoso assentiu ao encorajá-la a se levantar. Assim, com as pernas trêmulas e o coração ameaçando sofrer um ataque a qualquer segundo, ela se ergueu e andou temerosamente até o único coreano jovem que existia naquela pista. De forma ágil, o rapaz envolveu a cintura dela com seu braço, puxando-a para si. Os corpos quase colados. Em seguida, segurou em sua mão e a ergueu para conduzi-la lentamente na dança.

Então, anunciou, ainda se sentindo desconcertada com toda aquela situação:

— Acho que você está lendo romance demais, Joon Hyuk...

— Prefiro acreditar que Deus pode estar escrevendo um agora.

Okay. Aquele foi um belo de um tiro certeiro. Ele não temia fazer que ela se deixasse levar. Estava difícil nadar contra a correnteza quando ele era o mar. Então, sem ter para onde correr, sorriu ao fitá-lo por longos segundos, e ele também não desviou o olhar. O cheiro de lavanda dele fazia o nó em sua garganta diminuir, e nada mais parecia importar ao senti-lo tão perto naquela dança. Encarou os lábios finos de Joon Hyuk e sentiu uma vontade de ficar ainda mais próxima.

22
Ela não se sentia forte e ele se achava tão imperfeito

Tão logo retornaram para a fazenda, o sono dominou o senhor Kim, fazendo-o ir para a cama primeiro. Seu neto, com as bochechas ainda queimando, fugiu para o próprio aposento, porque quase não conseguiu controlar a vontade de beijar a hóspede do quarto ao lado no meio de um bando de desconhecidos da terceira idade. Ela, por sua vez, sentiu-se aliviada por não precisar mais encarar Hyuk, visto que a confusão em sua mente poderia piorar.

Talvez fosse ele o responsável por sua insônia. Às duas horas da manhã naquela madrugada de domingo, ela cansou de ficar se revirando na cama. O ronco de sua barriga também não a ajudou a aquietar-se no colchão. Decidiu que invadiria a cozinha de seus anfitriões e esquentaria pelo menos um copo de leite para aquecer o estômago e enganar a fome até o amanhecer. Porém, ao tomar o primeiro gole da bebida morna, sentada em uma das cadeiras mais afastadas da luminosidade da cozinha, alguma outra coisa dentro dela se revirou e já não era mais a fome. Era uma dor latente, que passou o dia inteiro sendo silenciada.

— Não posso chorar agora! *Não posso!* — sussurrou para si mesma.

Nesse momento, pingos de chuva começaram a cair sobre o telhado azulado. Pousou a xícara branca e estendeu os braços magros sobre a mesa de madeira desgastada, apoiando o rosto sobre eles. Nisso, ouviu um rangido de uma porta sendo aberta e, segundos depois, escutou os passos de alguém.

— Ayla? — a inconfundível voz aveludada de Joon Hyuk.

A intensidade da chuva aumentava. A menina não reagiu e permaneceu imóvel. Ele até pensou que a garota havia pegado no sono sobre a mesa. Assim, achegou-se a ela e tocou seu ombro.

— Está tudo bem? — perguntou. Encarou a xícara com leite morno e imaginou que ela estivesse com fome. — Quer que eu faça alguma coisa para você comer?

Entretanto, em lugar de uma resposta articulada com palavras, o garoto recebeu o som de um passarinho ferido. Era um choro entalado na garganta havia muito tempo, emoções de alguém que também não havia se permitido sentir a dor que lhe atravessava o coração. Talvez por medo de não ser forte o bastante, quando tantas pessoas à sua volta precisavam que ela permanecesse de pé.

Foi extremamente doloroso ter sido a responsável por segurar sua mãe, quando ela mal conseguia andar depois do velório de seu pai. Havia sido ela também quem colocou seu irmão mais novo para dormir quando chegaram do cemitério. Deu assistência ao primo, que teve uma forte crise de choro, porque era muito apegado ao tio. Ainda amparou a avó paterna, que gritava que um filho não deveria partir antes da mãe.

Há um ano ela carregava consigo as lembranças do quarto de UTI. Os ruídos dos aparelhos em volta do leito preencheram seus pesadelos por meses. Ela queria ter dito mais vezes ao pai quanto o amava e quanto lamentava não ter estado mais tempo com ele em seus últimos momentos de vida. Contudo, com a ajuda de sua amiga Saori, conseguiu entender que, como filha, fez o que era possível nos anos que viveu ao lado dele. Embora a saudade todos os dias voltasse com violência e quase a fizesse chorar na frente de pessoas em lugares não convidativos, era pesado demais não conseguir ser tão forte quanto antes.

A carga emocional estava insustentável, e naquele dia em Daegu ela deu tudo de si por aquelas pessoas, quando ouvi-las falar sobre o luto era tão cortante. Porém, não poderia mais fugir. A enxurrada veio e precisava ser sentida. Não tinha mais como se esconder da correnteza. Era necessário se deixar arrastar por ela. Porque, somente quando abrisse a gaiola emocional que a prendia, o passarinho poderia ser livre outra vez. Era o que seu pai mais queria, vê-la livre de todo peso. Ele a amou tanto. Orgulhava-se ao dizer que a mimou como podia, sempre acreditando que ela faria grandes coisas e chegaria mais longe do que ele jamais havia ido. Ele orou por isso, para vê-la alçando voos bem mais altos, pois Abner não gostaria que Ayla se limitasse em razão de sua partida.

O que mais doía nela era não ter como contar ao pai sobre sua viagem para a Coreia do Sul. Queria que ele pudesse experimentar algum dos pratos que ela aprendeu cursando Artes Culinárias. Ele adoraria vê-la se apaixonando de verdade pela primeira vez e ficaria emocionado ao levá-la para o altar no dia de seu casamento. Choraria quando segurasse o primeiro neto nos braços.

Mas nada disso aconteceria, e não era algo que pudesse mudar. Pois a Palavra de Deus ensina que foi destinado aos seres humanos morrer uma só vez, e não há como voltar atrás. Também não era possível mudar o destino de quem se foi mediante preces que não servem mais. Era uma partida a ser aceita.

Assim, tudo que lhe restava era agradecer a Deus pela oportunidade que havia recebido de chamar Abner de pai, porque foi profundamente recompensadora a jornada ao lado daquele homem tão aventureiro. Orava para que os aprendizados que obtivera com ele permanecessem vivos, até que sua vez de partir também chegasse.

— Eu estou aqui, Ayla, não irei te deixar — Hyuk sussurrou ao circular as mãos sobre as costas dela.

Por quase meia hora ficou parado a seu lado, massageando-lhe a pele através do moletom lilás. Após um tempo, porém, sentiu-se frustrado por não dispor de palavras tão boas quanto as que ela lhe tinha dito durante o festival das lanternas. Mas sabia que uma coisa poderia fazer para que Ayla se sentisse melhor. Algo que Hyuk prepararia com todo o seu coração e deixaria claro quanto se importava com ela, apesar de terem se aproximado havia apenas uma semana. Não que um número de dias fosse decisivo para ele, pois o que construíram era bem mais valioso do que o calendário sinalizava.

Desse modo, afastou-se para pegar um avental azul pendurado perto da pia. Colocou a vestimenta jeans de forma ágil e bateu as mãos no tecido para tirar um pouco da camada de trigo que o cobria. Em seguida, foi para a frente da bancada de granito e começou seu discurso num tom suave:

— Uma vez eu ouvi minha avó dizer que uma refeição pode mudar o destino de alguém...

Hyuk sempre achou que Seo Yun havia exagerado nesse ponto, pois ele tinha somente doze anos na época. Porém, quanto mais o tempo passava, mais percebia que a avó estava certa. Nesse momento, Ayla perguntou a ele o que a senhora Kim teria querido dizer com aquilo. O rapaz explicou que destino significa a direção que devemos seguir, mesmo que essa direção resulte em alguma dose de sofrimento, e que, embora o céu pareça cinzento, se tivermos um pouco de pão e água, seremos capazes de atravessar longos desertos e enxergar, pela fé, o horizonte que nos aguarda lá na frente.

— Para minha avó, desistir não era bem uma opção. Mas

parar para descansar e comer um pouco, sim, sempre foi a melhor alternativa. Deu para entender? — o jovem perguntou, com um sorriso frouxo querendo desabrochar.

Depois foi em busca da faca e, tendo cortado as cenouras, disse:

— Não sei fazer muitas coisas, e uma das coisas que não sei é consolar alguém. Talvez porque nunca tenha sido consolado por outras pessoas...

O sorriso amarelo de Hyuk desapareceu e sua voz ficou ainda mais grave:

— Mas espero de verdade que esse japchae possa dizer a você que, mesmo que a gente não se conheça há tanto tempo assim, você já tem uma cadeira reservada na mesa de jantar da minha família. Quero sempre estar aqui para você, como você se arriscou a estar aqui por mim.

— Eu queria ter feito bem mais... — Ela encarou as costas do rapaz, que estava virado na direção da bancada. — Pelo menos cumprir a promessa de fazer você e a Saori se reaproximarem.

— Você sabe o que ela me disse na sexta-feira, quando conversamos por telefone? Que, se eu machucasse o seu coração, ela viria pessoalmente quebrar a minha cara! Por você ela tentaria confiar novamente em mim! Mas eu ainda me sinto tão culpado por tudo, sabe? — suspirou com pesar.

— Não! Infelizmente não sei, Joon Hyuk. Eu queria poder fazer algo, mas isso é um lugar secreto no qual não me permitiram entrar.

O rapaz virou-se para ela e sussurrou:

— Você é a última pessoa neste mundo que eu quero magoar, Ayla.

— Como disse o personagem de um livro de que eu gosto muito: se for para me machucar com a verdade a respeito do que houve, *será uma honra ter o coração partido por você.*

Joon Hyuk abriu a boca. Suspirou. Mordeu o lábio. O nervosismo o dominava. Aquela garota não era qualquer uma: era a única mulher em anos que fizera seu coração palpitar. Será que poderiam ser mais que amigos um dia? Os pensamentos eram águas turbulentas que corriam em sua mente.

Respirando fundo mais uma vez, criou coragem naquela madrugada para ser totalmente vulnerável sobre as partes cinzentas e imperfeitas de seu interior.

23

Ele carregava o peso daquilo que não pôde ser dito

Hyuk era apenas uma criança quando seus pais lhe disseram que seria melhor para o menino crescer na fazenda do que na agitada Seul, uma vez que não teriam como dormir todas as noites em casa. Seu pai, o senhor Joon Haneul, havia sido contratado como motorista de caminhão em uma transportadora, e sua mãe, a senhora Kim Yumi, recebera também uma proposta de emprego em um famoso hotel da capital.

Não havia como o pequeno Hyuk argumentar. Suas lágrimas e escândalos não eram suficientes para apaziguar seu descontentamento. A mãe prometeu que ele só ficaria morando com os avós por um tempo. Logo as coisas se ajeitariam e eles voltariam a dividir o mesmo teto. Assim, o casal se mudou de Daegu e o menino ficou sob os cuidados dos pais de Yumi, pois a criança não tinha tanta proximidade com a família de Haneul.

Os meses se tornaram anos, e Hyuk se acostumou com a rotina. Sua avó ia às reuniões da escola quando necessário, e o senhor Kim comprava tudo de que o rapazinho precisava. Yumi ligava todas as noites prometendo visitá-lo. A distância e os custos do transporte, porém, a impediam de cumprir suas promessas. O menino passou a não esperar mais a mãe e preferia ser surpreendido pelo pai, pois Joon Haneul por vezes parava seu caminhão na porta da fazenda e dormia uma noite na casa dos sogros para descansar da viagem.

Hyuk vivia uma batalha interna, porque não queria acreditar que não era tão amado assim. Cresceu achando que havia feito algo de errado para não ter os pais junto dele nos momentos de que mais precisava. Todavia, aos catorze anos, entendeu pela primeira vez que Deus é seu Pai e que mesmo que sua mãe o abandonasse, nunca seria deixado pelo Senhor.

Foi durante uma noite de dezembro, no culto de natal da Igreja Monte Sião. O menino pensava na iminência de seu aniversário, e sua mãe ainda não tinha certeza se poderia comemorar a data ao lado do filho. Contudo, ao ouvir o sermão ministrado pelo pastor Min, pai de um de seus colegas de classe, aprendeu que Jesus, antes de partir, havia prometido que o Pai enviaria um Consolador, e que já não haveria razão para alguém se sentir sozinho, porque o Senhor de fato cumpre o que diz. O Espírito Santo, portanto, agora era seu Companheiro e Consolador.

Claro que ainda doía ouvir os colegas de escola comentarem sobre a ausência de Joon Haneul no Dia dos Pais, porque era o avô quem sempre comparecia à comemoração. O garoto, porém, simplesmente tentava contar alguma piada e mudar de assunto. Era o mais brincalhão da turma, até que uma garota entrou na jogada e fez que seu melhor amigo o traísse. Hyuk estava no último ano do ensino médio, quando notou que uma menina o olhava de modo diferente.

A senhorita Chin Suzy tinha um sorriso encantador e era muito falante. Ele só não esperava que Min Gaeul, seu melhor amigo na época, em segredo achasse o mesmo da garota. Tudo piorou quando Hyuk passou a receber cartinhas escritas pela menina e não sabia disfarçar sua alegria. A paixão aparentemente recíproca era contagiante. Mas quando o aniversário de Gaeul chegou e Hyuk recebeu um convite para a festa que o acabou levando a um endereço esquisito, deu de cara com Suzy perdida na frente da casa desconhecida. Perceberam que alguma coisa estava errada.

Ele resolveu que não adiantaria procurar briga com Gaeul, porque o rapaz não era somente o filho de seu pastor, mas era de longe seu amigo mais chegado e morava a poucos quarteirões da fazenda. O jovem Min tinha olhos angulares, rosto redondo com a testa coberta por uma franja de cabelos lisos. Adorava usar roupas escuras maiores que seu corpo, e sua maior vontade era colocar um brinco na orelha direita, por influência dos artistas de rap que ele adorava ouvir. O menino era um verdadeiro prodígio musical. Desde pequeno tocava piano e violão. Foi ele quem tentou ensinar "Brilha, brilha, estrelinha" no violino para Hyuk. Não bastasse o talento para a área musical, ainda era bom em carpintaria e pintura. A questão era: havia alguma coisa que ele não soubesse fazer?

No entanto, apesar de ter um coração imenso, Gaeul magoava-se facilmente e evitava falar a respeito do que sentia. Seu rosto poderia ser uma incógnita. Tudo isso se intensificou desde que o pai do menino anunciou que iria para a Coreia do Norte em uma missão missionária ultrassecreta que duraria duas semanas, levando minibíblias escondidas em um caminhão de suprimentos.

Era uma ideia absurda para Gaeul. Por isso, andava mais calado e qualquer coisa o irritava. Hyuk não sabia como consolá-lo em sua dor misturada com raiva, porque o amigo temia nunca mais ver o pai. Uma das únicas formas que o jovem Min encontrou para lidar com o medo foi fingir que não o sentia mais. Falava que estava bem e que iria comemorar seu aniversário com os colegas.

Por isso, Joon não procuraria briga por conta do convite com o endereço errado. Era melhor ir embora e deixar Suzy em casa. Mas, antes de chegarem à porta da residência dela, a menina lhe tascou um beijo apressado e saiu correndo em direção ao portão. Daquele dia em diante, era oficial que Hyuk e a senhorita Chin estavam namorando.

A menina, contudo, não queria que os outros soubessem. Manter isso em segredo por quase cinco meses custou um alto preço, pois ela começou a tratá-lo de modo diferente na frente dos colegas de turma, mas quando saíam dos perímetros da escola pegava na mão de Hyuk e animadamente falava sobre qualquer coisa. Até que um dia ele soltou-se de seu aperto e a confrontou. A garota se enfureceu e respondeu bruscamente:

— Você acha que minha mãe ficaria feliz se soubesse que estou namorando o filho de um fazendeiro? E que a família dele toda é cristã? Você nem entende os sacrifícios que faço para ficarmos juntos!

— Eu não quero que alguém ache que ficar comigo seja um sacrifício. Só queria ser amado. Isso é pedir muito? — respondeu, já lacrimejando.

A única reação razoável do garoto no momento foi correr o mais rápido que pôde. Foi extremamente difícil explicar para os avós que algo ruim tinha acontecido e que queria mudar de escola. De todo modo, aceitaram que ele poderia faltar três dias até se restabelecer, e assim fez. Quando voltou às aulas, toda a dinâmica da turma havia mudado. Seu grupo de amigos só falava com ele o estritamente necessário, e a senhorita Suzy o ignorava abertamente.

Enquanto isso, Min Gaeul lutava com unhas e dentes para conquistá-la. Gaeul também era cristão, filho de pastor. Estranhamente, nada disso importou para Suzy, que o aceitou como namorado e não tentou esconder esse fato de ninguém. Porém, a relação não durou muito. Aquilo que o garoto mais temia aconteceu. Gaeul quis se esconder das pessoas, porque não queria chorar em público inadvertidamente. Nada mais era suficiente para ele e, naquela primavera, estava à espera de alguém que o ajudasse a crer outra vez naquilo em que havia perdido totalmente a fé.

Porém, semanas antes que isso acontecesse com Min, Joon Hyuk sofria imensamente com seu coração partido.

— Foi melhor assim, meu filho! — dizia Seo Yun para acalmar o neto. — Um dia você será amado por alguém que sentirá orgulho em tê-lo por perto!

A avó era uma das melhores pessoas que ele pôde conhecer nesta vida. Mas a bondade não impede alguém de adoecer. Muito menos de querer esconder sua doença de praticamente toda a família. Um pedido que ela fez especialmente a Joon Hyuk, enquanto andavam lado a lado na fazenda coberta pela neve, enquanto ela segurava o guarda-chuva azul e lhe dizia que tinha uma novidade para contar.

— Sabia que nós vamos para Seul passar algum tempo com seus pais? — ela anunciou aquilo que deveria ser uma boa notícia.

— Por que nós iríamos para lá? — questionou ele sem entender o que estava acontecendo, já tão acostumado com a vida em Daegu.

— É que... — suspirou. — Eu preciso fazer uns tratamentos que não estão disponíveis aqui em nossa cidade. Mas será por pouco tempo! E você decidirá se vai voltar com a gente ou ficar um pouquinho mais com sua família. O que acha? — Parou no caminho a fim de passar os dedos nos cabelos lisos do garoto.

— Mas *você* é a minha família! — gritou ele ao sacudir-se como uma criança.

— Querido, eu sei que é muito apegado a mim e a seu avô, mas você precisa me prometer uma coisa: que, *quando chegar a hora*, irá morar com seus pais. Também preciso que me prometa que não irá dizer a seus tios nem a seus primos o que eu vou fazer em Seul. Não quero que eles fiquem preocupados à toa! Porque sei que o Young largaria tudo no Brasil para vir cuidar de mim. Não quero que ele faça isso! Entendeu? — A senhora apertou de leve a bochecha do menino.

— Por que eu tenho de guardar esse segredo, vovó? Não é melhor dizer a eles que a senhora não está muito bem e que precisa se cuidar por um tempo? — A confusão no rosto dele não a fez ceder.

— Um dia você entenderá. *Quando chegar a hora!*

Mas a tal hora nunca chegou. Por mais que a senhora Seo Yun fizesse uma cirurgia atrás da outra para desobstruir as artérias de seu coração hipertenso, num desses procedimentos seu corpo frágil não suportou. Um tipo de dor que jamais poderia ser nomeada por Joon Hyuk. O pior, contudo, foi o segredo que ele guardou de seus parentes mais próximos. Não era um problema só dele: seu avô também tinha recebido a mesma missão, assim como os pais de Hyuk e sua tia Yurim. Ao que parece, porém, não viviam sobrecarregados pela culpa, como acontecia com ele.

Em especial, culpava-se por não ter alertado seus parentes no Brasil sobre a doença da avó. Pensava em Saori, que o considerava como um irmão, apesar de nunca terem se visto pessoalmente. Era com ele que ela praticava a conversação em coreano e prometia que, quando se formasse em Gastronomia, tentaria um mestrado na Coreia do Sul. Poderiam dividir um apartamento na capital, pois o garoto também queria morar em um campus universitário que tivesse um curso nessa área.

Ambos eram apaixonados por culinária e viviam trocando receitas. Até alguns dos pratos do estabelecimento que haviam aberto no Brasil tinham sido montados graças às dicas valiosas de Joon Hyuk. Saori foi por muito tempo sua única amiga, porém nem prestar o vestibular ele conseguiu. O luto era pesado demais até para respirar. Com muito esforço terminou o ensino médio e, em sua pausa, trabalhou com os tios no restaurante da família, o Gijeog.

A verdade era que o garoto sempre havia se culpado demasiadamente, desde pequeno. Achava que não poderia vacilar em nenhum momento, porque se seus pais soubessem que ele era um menino levado, poderiam nunca mais desejá-lo de volta. Após o incidente envolvendo o segredo da doença de sua avó, triplicou seu anseio por agradar as pessoas ao seu redor. Não queria nunca mais ser uma decepção na vida de alguém. Se para ser amado tivesse de se esforçar ao máximo, era isso que ele faria.

Fazer o vestibular para tentar uma vaga na primeira turma de Artes Culinárias foi a única coisa que fez por si mesmo após o luto ter invadido cada fibra de seu ser. Estava tão acostumado a se dispor a fazer o possível por seus parentes que, quando precisou dizer ao avô que iria morar com os pais em Seul, quase chorou para dar a notícia. Mas o senhor Kim ficou feliz por perceber que seu neto estava, finalmente, tentando sair da gaiola onde havia se trancado por medo de cometer erros.

— Assim como a música está no seu sangue, a culinária também está, Joon! Tanto sua avó quanto eu sempre sonhamos em ver você abrindo o próprio restaurante. Uma mistura de comida, blues e uma Presença que vem do alto! — falou, emocionado, ao abraçar o neto.

— Você não está chateado comigo, vô? Porque justo agora vou deixá-lo sozinho na fazenda, quando mais precisa de mim! — O menino se controlava para não chorar.

— Olhe para tudo isso! — apontou para o ambiente verde ao redor, enquanto estavam sentados na varanda. — Você me ajudou a manter isso de pé! Agora eu quero que faça algo por si mesmo. Por favor, Joon. *Voe!*

Mas o rapaz não queria voar sozinho. Queria alguém ao seu lado. Talvez por isso tenha se agradado tanto quando ouviu certa garota dizer que não era bom que o homem vivesse só. A solidão da qual ele fugira por anos o perseguia vez ou outra. Será que poderia realmente tê-la junto de si? Ela aceitaria um homem tão imperfeito quanto ele? Ayla nem sabia que Hyuk havia orado por ela durante três noites seguidas. Ele havia pedido ao Pai no céu que, se fosse para ser, *por favor*, que lhe desse qualquer sinal.

Mas tudo estava tão às claras mesmo no escuro daquela cozinha, que Joon Hyuk novamente mirou os lábios de Ayla Vasconcellos e sentiu que ela fez o mesmo.

24

Um sentimento tímido, mas avassalador

Ayla não sabia como Hyuk conseguiu terminar aquele prato de macarrão com legumes e carne enquanto lágrimas quentes molhavam seu rosto ao contar uma história tão cheia de dor. Mas não foi um choro como o da noite anterior. Não houve soluços e tremor. Era um pranto que vinha de uma parte ferida dentro dele. Porém, recusava-se a deixar a cicatriz se fechar por completo, porque a coisa principal não havia feito: liberar perdão a si mesmo.

— Quer dividir comigo? — ela ofereceu a comida que acabava de receber.

— Eu fiz só para você — fungou ao passar os dedos nas bochechas molhadas.

— Percebi. — Ayla sorriu. — Mas quero que coma um pouco comigo.

— Você ainda me quer por perto depois da história que eu contei? — Arregalou os olhos, cuja vermelhidão ela podia ver através dos óculos.

— Não estou dizendo que não compreendo por que a Saori ficou tão magoada durante estes anos todos. Ela o considerava como um irmão...

O rapaz murchou e sentou-se diante dela, cabisbaixo.

— Mas ela poderia ter se colocado em seu lugar e imaginado que não fez isso por mal! Por isso, entendo como você se sente.

Só que não é justo carregar uma culpa tão profunda sobre algo do qual você não teve o menor controle. Você conseguiu perdoar seus pais, apesar de não ter se sentido amado quando eles o deixaram com seus avós, mas não consegue ser gentil consigo mesmo e tirar esse peso das costas!

Hyuk suspirou ao friccionar as mãos sobre a mesa. Era como se a moça tivesse lançado luz sobre os problemas que ele vinha mantendo no escuro havia anos.

— A senhora Park jamais iria querer que você se sentisse assim! Porque foi uma decisão dela, e você a respeitou! Além disso, é preciso admitir que ela poderia ter contado para a família da Saori e que isso teria sido a decisão mais sábia. Mas as pessoas que amamos também erram. Dizer que elas poderiam ter feito algo diferente não é problema nenhum. O que você não pode mais fazer é carregar uma culpa que deveria ter sido liberada há muito tempo! — exclamou, preocupada com ele.

Já eram mais de três horas da manhã. O sono os havia abandonado, e parecia que nada mais no mundo importava além da companhia um do outro.

— Eu posso tentar... — Hyuk deu de ombros e ergueu o queixo para encará-la.

— Até chorando ele é bonito, meu Deus do céu! — Ayla falou em português.

— O que você disse, senhorita? — perguntou ao soltar uma risada baixa. — Acho engraçada essa sua mania de falar em outro idioma olhando para mim.

— Sabe o que *eu* acho engraçado? — Meteu os palitos de alumínio na tigela. — Você cozinhar tão bem. Acho até que se fizesse chá de pedras ficaria uma delícia!

A garota abocanhou uma porção generosa de macarrão e fechou os olhos para saborear o alimento feito por seu novo chef preferido. Ele só não poderia saber disso, senão ficaria se achando. Quando terminou de mastigar e voltou a abri-los, notou o rapaz a mirando de modo concentrado.

— Tem um pedacinho de cenoura aqui... — Ergueu o polegar para limpar o cantinho da boca de Ayla e a tocou de forma carinhosa.

Ela não disse absolutamente nada. Ficou petrificada. O coração faltando sair correndo do peito. Mas, inesperadamente, o rosto dele se aproximou ainda mais conforme o rapaz se inclinava sobre a mesa, e ela fez o mesmo ao quase se levantar.

— Sei que pode ser mais uma ousadia da minha parte... mas tenho medo de ir dormir e tudo isso não passar do sonho mais louco *e precioso* que tive na vida.

Eles estavam tão próximos, que Ayla podia sentir o hálito quente dele tocar sua pele. A garota largou os palitos sobre a comida e engoliu em seco antes de dizer:

— A minha cara continua suja? — Fez um biquinho.

— A única coisa que vejo é que talvez sinta o mesmo que eu. E a beijou.

Encostou suavemente seus lábios sobre os dela, que corresponderam na mesma intensidade calma e desapressada. Era um sentimento tímido, mas avassalador.

Ao se afastarem, abriram os olhos. Ayla sorriu nervosamente e, num segundo, deu um pulo da cadeira. Pegou a tigela com japchae e fez uma reverência para se despedir. Deu as costas e andou na direção do corredor onde ficavam os quartos.

— Espere, senhorita! Não precisamos conversar sobre... *nós*? — Hyuk perguntou, também levantando-se e apoiando as mãos sobre a mesa.

Ayla virou-se e encarou o rapaz que continuava usando o avental azul.

— Então... *boa noite!*— Novamente curvou o corpo numa reverência e correu segurando a comida que ele havia preparado.

No dia seguinte, Joon Hyuk estava numa *sinuca de bico*: deveria esperar que ela tocasse no assunto do beijo ou simplesmente pedir com insistência para falarem a respeito? Durante o almoço de despedida, a garota conversou mais com o senhor Kim do que com ele. Não sabia se Ayla estava arrependida do que havia deixado acontecer entre eles, já que não tinham firmado qualquer compromisso *ainda* e foi uma atitude muito insensata, ou se toda a situação a deixara envergonhada.

Ou talvez fossem as duas alternativas. Quando tudo que ele queria era deixar claro que *jamais, nunca, em hipótese alguma* saía por aí beijando qualquer garota. E ela estava longe de ser qualquer uma! Aquilo para ele só poderia significar uma coisa: primeiro pediria desculpas a ela por beijá-la inesperadamente e depois perguntaria sobre o futuro deles dois. Por mais que parecesse cedo demais, já tinha certeza do que sentia por Ayla Vasconcellos.

No entanto, até quando se sentaram na carroceria do caminhão de Do Hyun, a menina ficou tirando fotos da paisagem para enviar no grupo ARRUME UM NAMORADO, fazendo que Hyuk escolhesse seu fone de ouvido como companhia para ajudá-lo a se afundar ainda mais naquela melancolia. Chegando à estação de trem, fez questão de colocar a ecobag dela sobre os ombros, apesar da própria mochila estar pesada e suas costas doerem.

Enquanto andavam rumo ao guichê para comprar as passagens, as únicas palavras que trocaram diziam respeito ao local de embarque. Em silêncio, caminharam para a plataforma, onde o veículo se encontrava parado para que os passageiros entrassem.

Foram os últimos a embarcar e sentaram-se lado a lado. Hyuk ainda estava com os fones sobre seus cabelos lisos.

O transporte começou a se mover sobre os trilhos, Daegu ficando cada vez mais para trás. Nesse ínterim, foi a vez dele de sentir um nó na garganta e um desconforto no peito. Por isso arriscou-se a dizer:

— Eu posso esperar, Ayla — anunciou.

Ela estava com o olhar perdido, vendo a paisagem na janela de vidro.

— Me perdoe, Hyuk... É que eu nunca passei por isso antes. Tenho medo de estar me apressando em algo que deve levar mais tempo. Mas me pergunto se há mesmo uma fita métrica que mede a qualidade do que existe entre duas pessoas, a partir de quantos dias elas se conhecem. Entende o que quero dizer? — indagou, entristecida.

— Eu pensei muito nisso durante a madrugada. — Balançou a cabeça, confirmando.

— No quê, exatamente? — Ansiosamente o mirou.

— Sabe a história bíblica de Isaque e Rebeca? É a minha preferida, e ontem descobri o porquê. Lembra que ele estava sofrendo, porque havia perdido a mãe, e Rebeca pôde consolá-lo por meio do amor? Não que ela seja uma salvadora, longe disso. Mas é que eles mal se conheciam pessoalmente, e ainda assim não precisou muito tempo para que Isaque entendesse que sempre foi ela.

O coração da menina gritou naquele exato momento:

SO-COR-RO!

— Joon Hyuk, você está mesmo dizendo o que acho que está dizendo? — Assustou-se. — É que, antes de termos *qualquer coisa*, eu só queria uma resposta, entende? Para eu saber se *posso* sentir isso!

— Claro que compreendo, senhorita. Enquanto orava, me vieram à mente situações em que pedi a Deus para entender o porquê de uma série de coisas, como fez o apóstolo Paulo ao desejar que uma espécie de espinho fosse retirado de seu corpo. Mas Deus disse a ele que *a graça era suficiente naqueles momentos de fraqueza*. Por isso, senti que sempre haverá coisas para as quais não teremos a resposta, porque é através delas que veremos, de fato, como a graça e a direção do Espírito Santo são suficientes.

— Sabe qual é meu problema? Querer ter certeza das coisas antes de dar um passo! Quando meu pai faleceu e tive de decidir se viria mesmo para a Coreia do Sul, bem, foi uma das decisões mais difíceis da minha vida. Porque minha mãe ficaria sozinha cuidando de meu irmão autista. Ela ainda teria de dar conta de administrar a loja, a casa... — suspirou pesadamente. — Mas ela me disse: "Eu quero que você faça algo por si mesma desta vez!".

— Meu avô também me disse algo assim quando eu quase desisti de ir para Seul. Por isso eu entendo você. O *não* é o local mais confortável que temos, porque ele não apresenta riscos, não é verdade? É uma zona de conforto. Mas dar um passo para estar com alguém e aprender a conviver juntos... Bem, é desafiador mesmo.

— Eu sempre ouvi o *não*, Hyuk. Por isso é tão estranho ter um *sim* de alguém de quem *realmente gostei* e com quem pude ser vulnerável. — Havia um tremor em sua fala, e suas mãos suavam friamente.

— Ayla, eu também ouvi uma série de *nãos*, entende? Mas dar o meu sim a você será a decisão mais acertada que tomarei na vida! Por isso, se você puder não me afastar na tentativa de acabar com o que nem deixou que começasse, eu agradeceria muito! Me perdoe por aquele... *Beijo*. Eu sei que não foi apropriado. Então, eu queria começar do jeito certo: podemos orar sobre tudo isso? A respeito de *nós?* — indagou, esperançoso.

Ele estendeu a mão na direção dela e esperou por um aperto que confirmasse seu pedido. A garota não se aguentou e acabou rindo aliviada. Envolveu seus dedos nos dele e seguraram-se firmemente por todo o restante da viagem.

25

O medo não é seu lugar

Ayla Vasconcellos realmente não pôde afastá-lo quando o rapaz insistiu em deixá-la em casa após a viagem. Não recusou sua companhia naquela noite de domingo, ao ser convidada para conhecer a igreja que ele frequentava em Seul. Na segunda-feira, não somente lhe deu bom dia ao vê-lo aguando as plantas no jardim da Universidade Yeon, mas também parou uns minutinhos para conversar com ele e acabaram rindo sobre uma das histórias que o pastor havia contado no culto. Em seguida, disse que iria à enfermaria para se consultar com o médico e verificar como estava a recuperação da queimadura. Já dava graças a Deus por sentir-se bem melhor e por não terem crescido bolhas no local. Só estava mesmo com a pele sensível e vermelha. Ao ouvi-la, o rapaz insistiu que o esperasse terminar seu serviço, porque assim poderia acompanhá-la.

O resto da semana não foi diferente. Apresentaram o seminário juntos na terça-feira e depois foram almoçar no restaurante universitário. Na quarta, ela ganhou nota máxima na avaliação prática no laboratório de Artes Culinárias, com Hyuk sendo autorizado a ajudá-la quando precisasse de algum utensílio ou de um ingrediente que necessitasse ser encontrado rapidamente.

O auge foi toda a turma perceber que alguma coisa realmente estava rolando entre a brasileira e o coreano, a ponto de o professor Jung entrar na onda do romance e perguntar o que de diferente haviam colocado no biscoito. Quando Ayla se animou para falar a receita de dasik que utilizou, o docente respondeu que era o *amor* e fez um coraçãozinho com os dedos para o jovem casal, deixando ambos ruborizados.

Por fim, na quinta-feira, a mãe, a avó e as amigas de Ayla Vasconcellos praticamente a forçaram a contar de uma vez por todas o que estava acontecendo entre ela e Joon Hyuk. Porque, sempre que se falavam, a menina sem querer acabava soltando o nome dele. Assim, deu-se início a uma nova obsessão e a mudança no nome do grupo: REAGE, HOMEM. Sim, era um título bem expressivo.

Essa situação toda fez Saori abrir mão de suas resistências e pedir à Ayla o número do primo. No fundo, o que ele fez acabava voltando a sua memória, porque sentia que, se ele tivesse dito como Park Seo Yun estava, as coisas teriam sido diferentes e ela teria ido para Seul se despedir pessoalmente da avó. Mas estava se esforçando para jogar toda mágoa no tal mar do esquecimento e deixar o caminho livre para a reconstrução da irmandade com o rapaz. Precisava admitir que sentira a falta dele nos últimos três invernos.

Assim, após uma longa conversa, entendeu que não somente Hyuk, mas seus outros parentes também sabiam do estado de saúde da avó e respeitaram a vontade da idosa de manter aquilo em segredo. Reconheceu que sua raiva vinha do fato de ter confiado tanto em Hyuk, porém colocou-se no lugar dele e concluiu que talvez tivesse agido do mesmo jeito. Daria uma chance para recomeçarem do zero, pois era certo que fizesse como Jesus e perdoasse quem a feriu.

Havia um princípio que ligava todos os recomeços que nascem de Deus: abrir o coração para que ele entrasse com seu processo de cura, que não acontecia de uma hora para outra. Era preciso entrega e confiança no que apenas ele era capaz de realizar. E, nesse ínterim, Saori reconheceu também que seu primo estava caidinho por sua melhor amiga. Ayla havia sido um instrumento nas mãos do Senhor não somente no âmbito emocional, mas também foi aquela que fez as borboletas renascerem no estômago do moço. Então ela deu a dica a seu primo:

— Chame a garota para sair! Ela deve estar achando que você perdeu o interesse, porque nunca mais disse nada! — berrou durante uma chamada de vídeo.

— Eu disse que esperaria, Saori! Ou você acha que devo tentar falar com ela outra vez? — Mirou a figura de sua prima iluminada apenas pela luz do visor, permitindo ver tão somente seus olhos pequenos e os cabelos curtos cortados acima dos ombros.

— Já está passando da hora, homem! *Reaja!* — gritou, quase estourando os tímpanos do primo. — Agora vou desligar para você não perder a coragem e ir falar com ela!

A ligação terminou bruscamente, e o jovem tomou fôlego. Será que iria gaguejar se ligasse para ela? Olhou para o relógio no canto superior do visor e viu que eram onze horas da manhã. Tinha dado uma pausa no serviço e se sentado em um banco de madeira ao lado de uma cerejeira de galhos repletos de folhas verdes. Respirou fundo e decidiu que uma mensagem de texto seria de grande ajuda.

Então entrou no aplicativo do Kakao Talk e apertou no contato de Ayla. Respirou fundo antes de digitar na velocidade de um foguete espacial:

Senhorita, hoje não teremos aula à tarde e nem iremos ao laboratório à noite. Então pensei que poderíamos dar uma volta em Itaewon. Como você me disse que quer muito conhecer aquele distrito, quero ser a pessoa que irá levá-la até lá a primeira vez (e em todas as outras também). Aceita sair comigo? (Sim, isso é um encontro.)

Apertou o ícone de avião para enviar a mensagem e bloqueou a tela. As mãos tremiam e o peito ardia de nervoso. Não se lembrava de ter ficado desse jeito por um convite antes. Não que tivesse feito tantos convites assim. Aquele tinha sido o segundo, praticamente, o primeiro tendo sido para Suzy, que já estava em seu passado e de lá ele nunca mais a tiraria. Contudo, a questão era que, uma vez mais, sentia que Ayla Vasconcellos não era qualquer uma. Nunca seria. Cerca de trinta segundos se passaram até o celular vibrar. Porém, a vibração maior foi a de Hyuk ao morder o lábio inferior enquanto lia a resposta que ela lhe dera.

Céus, isso não era um teste!

Ayla abriu uma caixa de papelão e retirou uma vela aromática. Colocou o objeto sobre a escrivaninha branca, foi até a cozinha e trouxe de lá uma caixa de fósforos. Acendeu o pavio e logo o cheiro de lavanda invadiu todo o quarto. Um aroma que remetia à pessoa com quem se encontraria naquela tarde.

Nesse instante, músicas não mais desconhecidas pela humanidade tocavam baixinho, enquanto ela se arrumava para o primeiro encontro *romântico* que teria na vida. Não, ela não havia tido outro antes. Na adolescência, estava acostumada a amores platônicos que eram superados na mesma velocidade com que se apaixonava, como sua fanfic do "prota da formatura". Todavia, nunca havia tido qualquer tipo de contato mais romântico com algum garoto. Por isso o beijo com Joon Hyuk a assustou tanto: em seus 21 anos de vida havia sido seu primeiro. E desejava voltar ao passado para fazer tudo diferente, para poder guardar aquele beijo e fazê-lo ser dado em outro momento, no futuro, quando houvesse, *se é que haveria mesmo*, um compromisso entre os dois.

Por isso, a definia como uma experiência *única*, mas terrivelmente insegura e impensada, porque minutos antes ele lhe havia contado sobre sua primeira namorada, a senhorita Chin. Agora lá estava Ayla *caidinha* por alguém que já tinha sido conquistado antes, dando a ele o que guardou por anos e não ousou entregar para mais ninguém. Era seu bem mais precioso: seu pobre coração sensível. Mas o rapaz nem sabia de nada disso. Ela caiu no erro de não dizer o que estava realmente pensando.

Então, quando respondeu à mensagem que ele enviou naquela manhã, dizendo que aceitava o convite, decidiu que não poderia mais se esconder atrás de seus medos. Havia conversado tanto com ele sobre deixar o passado para trás e não permitir que nada o impedisse de recomeçar, que agora sua hora havia chegado.

Assim, após colocar um vestido quadriculado com estampa em preto e branco, mangas um pouco bufantes e saia rodada, a menina se encarou no espelho do banheiro e milagrosamente gostou do que viu. Os cabelos castanhos estavam soltos, os cílios alongados pelo rímel, os lábios pintados de vermelho, e os óculos, o objeto que mais havia odiado na vida, davam o toque final.

Ayla nunca havia conseguido acreditar que um garoto um dia lutaria por alguém como ela. Já havia recebido uma centena de apelidos por causa de seus óculos grossos, por ser desajeitada e por seu medo de falar em público. Agora, porém, estava indo a seu primeiro encontro com um rapaz que realmente a fizera sentir-se bem por ser ela mesma. Agradeceu aos céus por ele ser real, e não a criação de sua mente apaixonada por fanfics e k-dramas.

— Vamos lá, Ayla Vasconcellos. É só não escorregar por aí! — incentivou sua imagem refletida no espelho arredondado. — E dizer a ele como realmente se sente!

A primavera que era sentida do lado de fora daquele dormitório parecia gritar: *Voe, menina, apenas voe! O Criador a criou para isso! O medo não é o seu lugar!*

Epílogo

16 de abril

Haviam combinado de se encontrar em um café famoso em Itaewon. Um lugar do qual Joon Hyuk ouvira falar muito bem, e estava feliz de poder finalmente conhecê-lo ao lado de uma garota que saberia apreciar a experiência gastronômica. Mas o local em si era apenas um pretexto para poder falar sobre o que sentia por ela. Apesar de ter seus 23 anos, Hyuk não saía por aí paquerando outras garotas. Por isso, tudo que tinha vivido com a brasileira nos últimos dias e o que havia feito por ela tinham sido as formas mais claras de dizer que algo ocorrera dentro dele: estava apaixonado por Ayla Vasconcellos.

Não aguentava mais se encher de teorias e não conseguir saber por que ela fugia. *Será que não sentia o mesmo por ele?* Ele de fato não tinha prática quando o assunto era a arte de conquistar uma mulher, mas isso nunca havia sido um problema para ele, porque desde sua adolescência não aparecera mais ninguém que o levasse a fazer isso. Também não se envergonhava da decisão de se guardar para uma única mulher, que iria conhecê-lo por inteiro somente no dia de seu casamento. Ou será que ela temia magoá-lo ao lhe dizer que nem gostava dele? Tudo de mais catastrófico lhe passava pela mente, mas naquele dia iria descobrir o que ela realmente pensava sobre eles dois.

O rapaz de cabelos lisos caídos sobre a testa vestia um blazer azul-bebê que combinava com a calça social na mesma tonalidade, e uma camisa branca por dentro. Ficou de pé em frente à Cafeteria Masai e mudou o peso de suas pernas, inquieto. Então, a respiração parou ao avistar de longe uma mulher usando um vestido quadriculado. O vento de primavera brincava com seus cabelos castanhos, e ela andava decididamente com seu par de saltos Mary Jane. Hyuk engoliu em seco e esfregou o suporte de madeira do guarda-chuva que segurava.

— Você está há muito tempo esperando por mim? — ela questionou, preocupada.

Perplexo com a visão à sua frente, ele balançou a cabeça negativamente.

— É que eu me perdi quando saí do metrô e tive de me virar com o Google Maps para achar a cafeteria! — ela comentou, rindo de si mesma. — E, sim, antes que diga qualquer coisa, eu sei que gostaria de ir lá em casa para que viéssemos juntos. Mas essa adrenalina de sentir que eu ficaria perdida para sempre não tem preço!

— Na volta eu deixo você em seu dormitório, está bem? — disse ele, despertando de seu torpor. — E isso não é um pedido! — Pegou na mão da menina e depositou um beijo no nó de seus dedos. — Aliás, você está tão linda, senhorita Baz... — Soltou um assobio.

— Você também não está nada mal, Joon — o rosto dela enrubesceu. — Mas não é melhor a gente entrar?

Ainda de dedos dados, ela o puxou na direção da porta dupla de vidro. Encantou-se com as hortênsias azuis e rosadas que decoravam a fachada do prédio, além de um quadro com o cardápio escrito a giz usando um belíssimo *lettering*. Mas não esperava encontrar uma livraria adjacente ao estabelecimento. Hyuk notou que ela se iluminou ao mirar os livros.

— Quer ir lá primeiro? — disse ele, apontando na direção das estantes.

— Podemos? — ela animou-se de imediato. — Vai ser rapidinho!

Os dois subiram no batente alto que dava acesso à área da livraria e foram saudados por uma jovem de cabelos negros com manchas marrons na pele branca, quase pálida. A moça usava um jeans folgado e um moletom cinza da série de livros *Divergente*, de Veronica Roth. Ela deveria ser "Team Four".

— Boa tarde! Como posso ajudá-los? — ela os cumprimentou com uma reverência.

Ayla deu um giro de 180 graus para ficar de frente para a atendente. Nesse movimento, sua mochila de couro marrom derrubou alguns livros que estavam na ponta da primeira estante de madeira.

— *Oh, meu Deus!* — ela exclamou em português. — Me desculpe! — falou em coreano, ainda sem olhar para a cara da vendedora.

— Você acabou de falar no meu idioma? — a mulher disse num tom de susto, misturado com dúvida. — A senhorita entendeu o que eu perguntei?

A atendente abaixou-se, e Ayla também. As duas foram em busca de juntar os livros. Nisso, Hyuk ficou parado com a expressão confusa de quando Ayla falava em uma língua que ele não conhecia. Agora havia duas garotas dizendo coisas que ele não fazia ideia do que significavam.

— Se eu entendi? — Ayla inquiriu, ainda falando em seu próprio idioma. — Sim, senhorita! — Nesse momento, encarou a mulher, para seu completo choque.

— Você é brasileira, então? Bem, eu me chamo Yarin Davies! — disse, radiante.

— *Yarin Davies*? Está de brincadeira comigo? Que mundo pequeno! — exclamou Ayla, ainda boquiaberta.

— Como assim? A senhorita me conhece?

Ayla se levantou, segurando dois dos livros que derrubou, e Yarin ergueu-se também, agarrando mais três dos que foram nocauteados pela mochila.

— Está tudo bem? — Hyuk perguntou, visivelmente perplexo.

— Está sim, Joon, é que esta moça aqui — apontou para Yarin — é brasileira também! Mas sei que você fica todo confuso quando falo em português do nada.

— A senhorita falou meu nome como se soubesse quem eu sou! — A pessoa confusa agora era a atendente.

Ayla Vasconcellos começou a explicar que sua mãe era amiga da avó de Yarin, que as duas haviam se conhecido durante um congresso do círculo de oração de senhoras. Até já tinha visto uma foto clássica da menina na entrada da Universidade Seo. Através das informações que as mulheres trocavam, as famosas *fofocas*, soube que a jovem morava na Coreia do Sul havia muitos anos e que arrumara um partidão por aquelas bandas. A senhorita Davies riu e repetiu a mesma frase:

— Que mundo pequeno! Estou impressionada com o que Deus faz! — disse em coreano. — E esse aí é o seu partidão? — perguntou em português.

— O quê? — Ayla encarou Hyuk e deu um belo de um tapa no ombro dele. — *Não!* — Riu nervosamente, quase se cuspindo toda.

— Olha, eu conheço de longe uma pessoa que gosta de fugir dos sentimentos!

Yarin deu uma piscadela para a menina, que forçou um sorriso quadrado.

— Porque eu mesma fui essa pessoa por anos! Agora que estou no último semestre da faculdade, e também vou sair da livraria daqui a umas semanas, posso dizer que o melhor que pode fazer por si mesma é admitir o que sente! Não sei se você passou por alguma situação difícil antes que a fez desacreditar, mas eu ainda sou a favor de você se perguntar: *Ele é a exceção pela qual tenho esperado?* Se sim... — Deu de ombros com sua aura de conselheira amorosa.

— Como não faço ideia do que estão conversando, acho que é melhor eu ir ali para não atrapalhar as senhoritas! — Hyuk deu meia-volta e foi na direção de uma prateleira distante.

— É que a gente se conheceu há pouco tempo, sabe? — Ayla disse, cabisbaixa.

— Entendo o que quer dizer, mas deixe eu lhe mostrar uma das minhas citações preferidas! É de um livro que estou relendo pela terceira vez... — Yarin a puxou para o balcão de atendimento. Pegou de cima do móvel uma edição em capa dura de *Razão e sensibilidade*, de Jane Austen, que havia ganhado de presente de um irlandês quando foram juntos visitar a livraria mais bonita da Coreia, a Starfield, no Shopping COEX. Abriu o exemplar e folheou algumas páginas até encontrar o que estava procurando.

— Pronto! — estendeu o livro para Ayla. — Leia este trecho bem aí!

Relutantemente, segurou a obra e leu onde a jovem havia indicado. O trecho sublinhado por uma caneta dizia: "Não é o tempo nem a oportunidade que determinam a intimidade, é só a disposição. Sete anos seriam insuficientes para algumas pessoas se conhecerem, e sete dias são mais que suficientes para outras".

Ayla engoliu em seco e devolveu o livro para a atendente. Para disfarçar o impacto que aquelas palavras provocaram, disse em tom acelerado:

— Tem alguma cópia deste aqui? Eu gostaria de comprar um, por favor!

Yarin Davies notou quanto aquelas palavras haviam mexido com a menina e, sorrindo, foi atrás dos livros que ela pediu. Já era para ter saído daquele emprego de meio período, mas prometeu a Masai Tom, seu amigo e dono daquele lugar, que continuaria ali por mais duas semanas, até ele encontrar outra pessoa para preencher a vaga. Porque coisas maiores a aguardavam, e não teria mais como conciliar com seu serviço dali, por mais que amasse a livraria.

Enquanto ela revirava as prateleiras atrás da última cópia da obra de Jane Austen, Ayla foi se aproximando de Hyuk e então prestou atenção no que ele havia colocado a seu lado. Encostou o objeto azul em uma prateleira, para ter as mãos livres e folhear uma obra clássica com letras douradas na capa, chamada *Grandes esperanças*, de Charles Dickens.

— A previsão do tempo disse que vai chover? — ela perguntou, já ouvindo em sua mente a música da Cassiane.

A resposta dele foi colocar o livro de volta na estante e dar a ela o guarda-chuva azul.

— Trouxe porque queria que ficasse com ele — disse como se não fosse nada. — Sei que geralmente as garotas ganham flores no primeiro encontro, mas eu quis dar uma inovada, sabe?

— O quê? Mas foi um presente do seu avô! Não posso aceitar! — Ela afastou o objeto na direção dele.

— Eu sei que está meio velho, mas queria que soubesse que não há nada precioso que eu tenha que não possa entregar a você. Ayla, você nunca será um peso ou sacrifício para mim, mas preciso que acredite quando digo que, se você permitir, posso ser o seu *ultimate*. Mesmo que meu nome não tenha mudado para macarrão! — disse, sorrindo do jeito mais travesso possível.

— Você tem certeza de onde está se metendo? — Tamborilou

os dedos na testa ao pensar. — É que faz duas semanas que a gente... — suspirou ao tentar dizer novamente seu único impedimento para dar seu *sim* a ele.

— Se Deus criou o universo em seis dias e no sétimo descansou, por que é tão difícil acreditar que alguma coisa real e sincera não poderia surgir entre nós dois?

Ayla virou o rosto ruborizado na direção do balcão. Yarin Davies notou que precisava deixá-los sozinhos. Mirou sua conterrânea e, numa fala dita sem emitir qualquer som, sua boca se moveu o bastante para articular um:

— *Fighting* — e deixou o espaço da livraria praticamente vazio, apenas para Hyuk e a garota que enfrentava uma guerra em sua mente.

— Você quer que eu acredite em *amor à primeira vista*? — ela indagou ao voltar-se para ele.

— Por que não? — Deu de ombros e balançou a cabeça.

Ele deu dois passos à frente, para que não houvesse qualquer distância os separando.

— A verdade incontestável, da qual não posso fugir de jeito nenhum, é que há meses eu observo você à distância, e não seria nenhuma novidade dizer que acabaria aqui neste estado: *completamente apaixonado por você*, senhorita. Eu, que em duas semanas aprendi a amar conversar com você, mesmo quando não queria aceitar o que eu fazia e tinha medo de confiar em mim — disse, com os olhos angulares queimando-a.

Segurou-a nos ombros e a fez encará-lo, com os rostos próximos.

— Eu me apaixonei por seu senso de humor e pelo modo como ama qualquer coisa que eu cozinhe, mesmo que seja um chá de pedras. Amo como sabe me consolar e me encorajar a ser alguém que é capaz de viver sem carregar qualquer peso do passado. E amo como é sensível e sempre tem uma palavra que me toca lá no fundo! Mas, principalmente, amo que é uma garota que sabe que Jesus é aquele que nos fará prosseguir na jornada. Isso não é o bastante para começarmos alguma coisa?

— Você não teve pena de usar a palavra *amor*, né? — disse ela, numa careta.

— Ainda tem mais: amo como você tratou meu avô e como tornou um dia tão cinza o melhor que já tivemos em três anos! Amo como conseguiu me reaproximar da Saori e também amo que...

— Okay, eu já entendi! Você usa essa palavra sem medo! — murmurou, ainda embaraçada com toda a situação.

— O que impede você de usá-la também? — indagou, entristecido.

— É que eu sempre ouvi que o amor é uma construção...

— Sim, eu também, mas por que isto que estamos começando não pode ser o primeiro tijolo? Acaso não precisamos partir de algum lugar? — Joon Hyuk envolveu a cintura de Ayla Vasconcellos e tirou uma mecha de cabelo que caiu sobre os óculos dela.

— Então preciso dizer que tudo isso é a minha primeira vez... — sussurrou ela ao senti-lo ficar ainda mais perto.

— Essa tentativa é tudo que importa, Ayla. O que aconteceu antes não significa nada. — Tocou a ponta de seu nariz no dela, e as armações dos dois óculos também se encostaram. — Posso ter o seu *sim*?

A resposta dela foi fechar os olhos e abrir os lábios pintados de vermelho, pois uma paz que veio do alto preencheu seu coração e ela sentiu que *sempre foi ele*. O rapaz mordiscou o cantinho da boca e sabia o que aquilo queria dizer. Ele a beijou pela segunda vez de modo calmo, suave e sem pressa. Agora sem peso ou culpa, de ambas as partes. Recomeçariam a vida ao lado de quem sabia que o horizonte também poderia *morar em um dia cinza*.

Agradecimentos

Nem acredito que isto realmente aconteceu! Meu Deus do céu, esta história chegou ao fim! Ela foi escrita debaixo de muita oração, lágrimas e uma entrega de partes de mim que eu nunca havia deixado as pessoas verem. *O horizonte mora em um dia cinza* é mais uma confirmação das promessas que o Senhor me fez. Por isso, não teria como começar esta seção sem agradecer a ele! E obrigada, Espírito Santo, por ter sido meu Consolador desde pequena! Através desse relacionamento de muitos anos pude experimentar sua vontade, que é sempre boa, agradável e perfeita.

Por vários momentos eu pensei em desistir, mas lá estava Jesus me dizendo que minhas mãos eram como espadas e que eu não deveria guardá-las, e sim usá-las para a honra e a glória de seu nome. Assim, oro para que cada aprendizado deste livro fique em seu coração, caro leitor, e que saiba que Deus continua sendo aquele que nos dá um recomeço e nos cura toda dor, não importa quão profunda ela seja. Se você der o seu *sim* a ele, também viverá coisas extraordinárias!

Agora vou agradecer a minhas amadas e queridas leitoras *betas*: Agatha Aguiar, Leticia Hauptli, Lybnne Giovanna e Paola Moraes, que permaneceram comigo nesta jornada tão cheia de surtos, lágrimas, risadas, e que também sentiram o toque de

Deus através desta história, e me fizeram enxergar que eu não estava sozinha nessa obsessão pelo Joon Hyuk.

Claro que agradeço também a minhas amigas Anna Paula Estevam, Lizandra Paixão e Thalita Santana, por terem me aguentado nesta fase de escrita do livro, porque em 80% do meu tempo eu as procurava para falar do livro e nos outros 20% eu esperava que elas viessem falar comigo a respeito. Deixo meu *super-muito-obrigada* a meu Team Davies, porque eu chorei tanto com cada mensagem de apoio que recebi de vocês! Pude confirmar que estavam tão empolgadas quanto eu!

Agradeço à minha mãe, Otaciana Leal, e à minha irmã caçula, Kavellin Katarine, por serem também minhas grandes incentivadoras e por sempre falarem por aí sobre meus livros. Sou muito grata por cuidarem tão bem de nosso gatinho, Oliver Lee. Por fim, *in memoriam*, agradeço a meu pai William Tindale, que apesar de não estar mais aqui foi uma verdadeira dádiva para mim e a cada dia eu aprendo a conviver com a imensa falta que ele me faz. Mas creio que um dia, lá na glória, iremos nos reencontrar para adorarmos ao Senhor por toda a eternidade.

Por fim, agradeço de todo o coração à equipe da Editora Mundo Cristão por ter abraçado *O horizonte mora em um dia cinza* e feito um trabalho tão incrível na republicação do meu livro! Através de vocês, vi as promessas de Deus se cumprirem na minha vida! E escrevo isso com muita emoção! Vocês são tão gentis e fizeram que eu me sentisse em casa!

Com amor,
Tati

Sobre a autora

Tatielle Katluryn nasceu no interior do Maranhão. É formada em Psicologia pela Universidade Federal do Delta do Parnaíba. Apaixonada por Jesus e pelos dramas coreanos, decidiu unir suas duas paixões e escrever histórias edificantes relacionadas à cultura asiática. É autora da duologia *Yarin Davies* e de *Como um dia sem fim*.

Compartilhe suas impressões de leitura,
mencionando o título da obra, pelo e-mail
opiniao-do-leitor@mundocristao.com.br
ou por nossas redes sociais

Esta obra foi composta com tipografia EB Garamond
e impressa em papel Pólen Natural 70 g/m² na gráfica Eskenazi